TOM 3
WIĘZY KRWI

Garth Nix &
Sean Williams

przekład: Michał Kubiak

Dla wszystkich kudłatych, pierzastych
i łuskowatych przyjaciół,
którzy wzbogacili moje życie
– G.N.

Dla żab zwanych Skipper i Jumpy,
które wpadły z wizytą, dla ich właścicielki
Amelii i dla Orlanda, jej brata bliźniaka
– S.W.

Tytuł oryginału: *Spirit Animals. Blood Ties*
Copyright © 2014 by Scholastic Inc.
All rights reserved. Published by arrangement with Scholastic Inc.,
557 Broadway, New York, NY, 10012, USA.
SCHOLASTIC, SPIRIT ANIMALS and associated logos are
trademarks and/or registered trademarks of Scholastic Inc.
Copyright © for the Polish edition by Grupa Wydawnicza Foksal, 2015
Copyright © for the Polish translation by Grupa Wydawnicza Foksal
Wydanie I
Warszawa 2015

1

BAMBUSOWY LABIRYNT

Łodygi bambusa były niesłychanie wysokie i rosły tak gęsto, że nie przepuszczały nawet jednej smugi promieni słonecznych i rzucały głęboki cień na dwie wąskie, przecinające się ścieżki. Meilin zatrzymała się przed kolejnym już rozstajem, znowu zmuszona wybrać, w którą stronę iść. Nie chciała przyznać sama przed sobą, że kilka kilometrów wcześniej skręciła w złym kierunku i beznadziejnie się zgubiła.

Pomysł, żeby przedostać się do Zhong przez Bambusowy Labirynt, początkowo wydawał jej się doskonały. Ten niezwykły las posadzono specjalnie po to, żeby chronił granice państwa na odcinku, gdzie nie osłaniał ich Mur. Jedynie niektórzy posłańcy i urzędnicy wyższej rangi znali drogę przez gąszcz co najmniej piętnastometrowych łodyg, który ciągnął się kilometrami. Do wtajemniczonych należał również ojciec Meilin, generał Teng, który dawno temu jej objaśnił, jak odnaleźć drogę do domu w plątaninie ścieżek rozchodzących się od północnego wejścia do lasu.

– Na pierwszych dziesięciu skrzyżowaniach trzeba skręcić w lewo – powtarzała szeptem Meilin. – Potem dziesięć razy w prawo, dalej w lewo, w prawo, cztery razy w lewo i trzy razy w prawo.

Jednak choć postępowała ściśle według wskazówek, które otrzymała od ojca, nie udało jej się wydostać z labiryntu. Co gorsza, założyła, że pokona go w jeden dzień – tyle przecież powinna zająć droga przez las bambusów – i zachowała na ten ostatni etap wędrówki tylko skromny zapas jedzenia: wodę, którą zaczerpnęła do skórzanego bukłaka ze strumienia przy północnym wejściu, oraz dwa wafle ryżowe. Tymczasem nadszedł ranek trzeciego dnia. Bukłak był pusty, a po waflach ryżowych pozostało jedynie odległe wspomnienie.

Jej podróż przez Eurę trwała tydzień. Meilin odbyła ją najpierw na pokładzie statku, a później – z kupiecką karawaną. Sporą część drogi spędziła w ukryciu, w ładowni pełnej szczurów, a potem pośród zakurzonych skrzyń, które wieźli handlarze.

Teraz, kiedy cel wyprawy wydawał się już tak bliski, frustracja Meilin stała się równie silna, co dręczące ją głód i pragnienie. Przed poddaniem się powstrzymywał dziewczynę jedynie cień nadziei, że jej ojciec nadal żyje i że jeśli ona sama będzie wystarczająco sprytna i wytrwała, jej również uda się przeżyć i doczekać spotkania z generałem.

Gniewnie uderzyła kijem w najbliższy bambus. Cios był na tyle silny, że gruba na dziesięć centymetrów łodyga pękła i zwaliła się na ziemię. Las tworzył jednak taką gęstwinę, że ubytek jednej rośliny był niezauważalny. Wokół siebie Meilin widziała jedynie dwie ściany nieprawdopodobnie wysokich łodyg, wąską ścieżkę w dole oraz słońce, stojące wysoko na nieboskłonie.

Po raz pierwszy przyszło jej do głowy, że nie znajdzie wyjścia z lasu. Córka generała Tenga miałaby umrzeć z pragnienia w Bambusowym Labiryncie! Ta myśl była nie do zniesienia.

Z ponurych rozważań wyrwało ją coraz silniejsze mrowienie przedramienia. Podwinęła rękaw, żeby spojrzeć na widniejący na skórze tatuaż przedstawiający śpiącą pandę. Podczas drogi przez labirynt utrzymywała Jhi w uśpieniu, ponieważ się obawiała, że ociężała panda będzie ją opóźniać w marszu. Teraz jednak ten problem znalazł się na samym końcu długiej listy zmartwień Meilin.

– No dobrze, wypuszczę cię! – powiedziała z rezygnacją. – Wyłaź i przydaj się do czegoś. Może uda ci się zjeść dość bambusów, żeby utorować mi drogę!

Pojawił się jaskrawy błysk i zaraz potem masywne ciało Jhi zaczęło napierać na bok dziewczyny, przyciskając ją do najbliższej kępy łodyg i wprawiając rośliny w drżenie.

– Hej, uważaj, co robisz! – fuknęła Meilin z irytacją.

Nagle zdała sobie sprawę, że coś dotyka jej twarzy. Przypuszczała, że to jakiś owad, więc machnęła ręką, żeby go odpędzić. W tej samej chwili poczuła jedwabiste muśnięcie na ramieniu. Odchyliła głowę w górę i zobaczyła obłok delikatnych, białych kwiatów, sypiących się ze szczytów łodyg. Gdyby nie to, że nie były zimne, można by je było wziąć za płatki śniegu.

Były to kwiaty bambusa.

Meilin nigdy wcześniej nie widziała kwiatów bambusa. Kiedyś się uczyła, że rośliny kwitły raz na pięćdziesiąt lat, a czasem raz na stulecie, a potem szybko więdły. Wszystkie jednocześnie.

– Labirynt umiera – szepnęła, wpatrzona w szczyty wysokich łodyg.

Wszędzie widać było białe kwiaty, co oznaczało, że w ciągu najwyżej dwóch tygodni las bambusowy zginie, bo rośliny uschną, popękają i runą na ziemię. Wcześniej jednak gleba pokryje się warstwą białych płatków, co przyciągnie hordy szczurów i innych zwierząt obietnicą uczty zdarzającej się raz na sto lat.

Kiedy labirynt umrze, spora część Zhong będzie całkowicie odsłonięta przed wrogiem. Zdobywcy najechali państwo, pokonując Mur, teraz zaś otworzy się przed nimi również droga, której dotąd bronił ten niezwykły las. Być może to sam Pożeracz wywołał w jakiś sposób nagłe kwitnienie bambusów.

Jhi usiadła ciężko na ziemi i wielką łapą pociągnęła Meilin na ścieżkę obok siebie.

– Nie mogę teraz bezczynnie siedzieć! – zaprotestowała dziewczyna. – Muszę znaleźć stąd wyjście!

Odepchnęła łapę zwierzoducha i zrobiła kilka kroków dróżką biegnącą w lewo. Zaraz jednak się zawahała, zawróciła i ruszyła w prawo.

Jhi sapnęła cicho.

– Czy ty się ze mnie śmiejesz?! – zapytała oburzona Meilin. – To poważna sprawa! Zgubiłam się, nie mam ani jedzenia, ani wody. Mogę tu umrzeć!

W odpowiedzi panda poklepała łapą miejsce na ziemi po swojej prawej stronie. Ten gest był bardzo ludzki. Przypomniał dziewczynie o ojcu, który robił tak samo, gdy chciał, żeby siadła przy nim i uczyła się, korzystając z jego mądrości. Meilin oddałaby wszystko, żeby go teraz zobaczyć.

– Nie możemy się zatrzymywać na odpoczynek – warknęła ze złością. – Musimy iść!

Doszła do wniosku, że tak naprawdę wybór ścieżki nie ma znaczenia. Całkiem się zgubiła i teraz liczył się już tylko czas. Musiała się wydostać z labiryntu, zanim umrze z głodu i pragnienia.

Ruszyła przed siebie truchtem. Była pewna, że tym razem uda jej się odnaleźć drogę, która wyprowadzi ją z gąszczu bambusów, że wydostanie się na otwartą przestrzeń Zhong.

Jhi sapnęła ponownie, lecz Meilin ją zignorowała. Po raz kolejny panda okazała się bezużyteczna jako zwierzoduch. Gdyby tylko dziewczyna miała ze sobą Essix! Sokolica mogłaby z góry wypatrzyć wyjście z labiryntu.

– Można by się spodziewać, że gdzie jak gdzie, ale w lesie bambusowym panda mogłaby się na coś przydać! – mruknęła z rozdrażnieniem Meilin.

Przebiegła kolejne pięćdziesiąt metrów i dotarła do następnego skrzyżowania ścieżek. Dalej mogła iść w prawo, w lewo albo na wprost. Wszystkie odnogi wyglądały identycznie: były zaledwie wąziutkimi przesmykami pośród zielonej gęstwiny.

Meilin zatrzymała się i obejrzała za siebie. Jhi powoli, ale uparcie podążała za nią. Na oczach dziewczyny sięgnęła po łodygę bambusa, po czym bez wysiłku ją zgięła i złamała. Czubek łodygi uderzył o ziemię tuż za Meilin, znowu zasypując wszystko deszczem białych kwiatów, a panda zabrała się nieśpiesznie do jedzenia: najspokojniej w świecie wpychała do pyska wielkie garście bambusowych pędów, liści i kwiatów.

Meilin poczuła głód, który dawał o sobie znać trudnym do ignorowania bólem brzucha. Najpewniej pociekłaby jej ślinka, gdyby nie to, że całkiem zaschło jej w ustach. Drugiego dnia marszu przez labirynt spróbowała bambusa, ale wywołała tym jedynie skurcze żołądka i jeszcze silniejsze uczucie głodu. Rośliny były zbyt wyschnięte, żeby człowiek mógł się nimi pożywić, a nigdzie nie było widać młodych, miękkich pędów, łatwiejszych do strawienia.

– Musi być stąd jakieś wyjście – wychrypiała z rozpaczą Meilin.

Dzikim wzrokiem wpatrywała się w rozwidlenie ścieżek, które niczym się od siebie nie różniły. Ostatnim razem skręciła w prawo, dlatego teraz postanowiła pójść w lewo. „W lewo, a na następnym rozdrożu znów w prawo – postanowiła w myślach. – Pójdę zygzakiem. Uda się. Gdzieś przecież muszę w ten sposób dotrzeć".

– Chodź – powiedziała do Jhi.

Tym razem nie ruszyła przed siebie biegiem – brakowało jej sił. Szła jednak szybko, nie zwracając uwagi na skurcze pustego żołądka, na drapanie wyschniętego gardła, na żar lejący się z nieba i lepką wilgoć w powietrzu.

– Znajdę drogę – szeptała. – Dostanę się do Zhong i będę walczyć. Z Pożeraczem i ze wszystkimi wrogami.

Jednak do jej głowy uparcie jak echo powracała beznadziejna myśl: „Umrę tu. Umrę tu. Umrę…".

2

LIST ZZA MORZA

Conor siedział przygarbiony w forpiku Dumy Telluna, najszybszego statku we flocie Zielonych Płaszczy. Był przemoczony do suchej nitki, bo co chwila zalewała go woda z fal rozbryzgujących się o burtę, ale przynajmniej przebywał tu sam i mógł się pogrążyć w swoich ponurych rozmyślaniach. Miał świadomość, że zasłużył na karę, więc marznięcie w zupełnie mokrym ubraniu było swego rodzaju pokutą za to, co zrobił. Przecież oddał wrogom Żelaznego Dzika, talizman Rumfussa. I choć nadal uważał, że nie miał innego wyjścia, bo tylko w ten sposób mógł uratować swoją rodzinę, dręczyły go wstyd i poczucie beznadziei.

Nie po raz pierwszy się zastanawiał, czy przypadkiem nie doszło do jakiegoś straszliwego nieporozumienia. Wydawało się przecież oczywiste, że jego przeznaczeniem było życie pasterza. Jego zwierzoduchem nie powinna była zostać jedna z poległych Wielkich Bestii, a on sam nigdy nie powinien był przystać do Zielonych Płaszczy. Czuł, że po prostu nie nadaje się na bohatera, a przecież Erdas potrzebni byli teraz prawdziwi bohaterowie, tacy, którzy zdołają odszukać talizmany Wielkich Bestii i pokonać Pożeracza.

Nagle poczuł na szyi znajomy, delikatny dotyk ostrych zębów. To Briggan złapał go za kołnierz i próbował wyciągnąć z kryjówki, jakby chłopak był zagubionym szczenięciem.

– Już idę, idę – powiedział z westchnieniem Conor.

Wilk puścił go i się cofnął.

– Co się stało?

Briggan odwrócił się i skrobiąc pazurami po deskach, zbiegł po schodni wiodącej z forkasztelu na główny pokład. Zanim poszedł dalej, obejrzał się i wlepił w Conora przeszywające spojrzenie błękitnych oczu.

Ponad wilczym łbem chłopak dostrzegł, że Tarik, Rollan i Abeke zebrali się pod głównym masztem. Stali w luźnym półkolu. W ich ustawieniu widać było wyraźnie dwie luki. Pierwszą z nich pozostawiono z myślą o nim – właśnie tam prowadził go Briggan. Drugie wolne miejsce powinna zajmować Meilin. I byłaby teraz z nimi, gdyby Conor nie ugiął się pod groźbami earla Trunswicku, niwecząc tym samym wszystkie wcześniejsze wysiłki drużyny. W tej sytuacji Meilin podjęła decyzję, że samotnie wyruszy do Zhong...

Conor przyglądał się trojgu swoim towarzyszom przez dłuższą chwilę. Bohaterskiemu Tarikowi, ich mentorowi i przewodnikowi, wieloletniemu i zasłużonemu wojownikowi Zielonych Płaszczy. Wyszczekanemu ulicznikowi Rollanowi, który jak zwykle uśmiechał się krzywo i nie wyglądał na szczególnie zainteresowanego tym, co dowódca miał do powiedzenia. Abeke, która stanowiła przeciwieństwo Rollana, bo lubiła robić wszystko jak należy, więc była bardzo skupiona na słowach nauczyciela.

Po tym jak Conor zawiódł drużynę, to właśnie Abeke traktowała go najlepiej. Być może wewnętrzny spokój, którym się odznaczała, wynikał z tego, że była doświadczoną łowczynią. Okazała się równie cierpliwa wobec ludzi, co wobec zwierząt.

– Conorze, chodź do nas! – zawołał Tarik. – Będziemy próbowali wejść na maszt z pomocą talizmanu Araxa. Możesz być pierwszy.

– Myślałem, że tym razem jako pierwsza miała wchodzić Abeke – powiedział Rollan, rzucając koledze spojrzenie pełne słabo skrywanej niechęci.

Conor się wzdrygnął. Jeszcze niedawno uważał Rollana za przyjaciela, ale odkąd Meilin odeszła, ich relacje bardzo się popsuły.

– Tak, teraz kolej Abeke – potwierdził Conor. – Poza tym żaden z nas nie jest tak zwinny jak ona.

– I właśnie dlatego ćwiczymy – tłumaczył cierpliwie Tarik. – Nie wiecie, jakie umiejętności mogą wam się przydać podczas poszukiwań kolejnego talizmanu.

– Czyli którego? – zapytała dziewczyna. – Przecież nie wiadomo, gdzie są pozostałe.

– A nawet jeśli uda nam się jakieś zdobyć, Conor pewnie i tak odda je Zdobywcom – wtrącił zgryźliwie Rollan.

– Dość! – przerwał dyskusję Tarik. – Nie mam wątpliwości, że w Zielonej Przystani czekają na nas wieści o pozostałych Wielkich Bestiach. Z pewnością Lenori ustaliła już coś na ich temat.

– Naprawdę mi przykro... Przecież wiecie, że mówię prawdę – powiedział Conor, który nie mógł znieść tego, że Rollan ciągle unikał jego wzroku. – Ale... moi najbliżsi...

– Wy i wasi bliscy – burknął pod nosem Rollan. – W takich chwilach naprawdę się cieszę, że moja rodzina dawno temu mnie porzuciła.

– Ludzie, których kochamy, dają nam siłę – stwierdziła Abeke – ale są też dla nas źródłem słabości. A kiedy ich życie jest zagrożone, trudno jest odróżnić dobro od zła.

Rollan wyglądał na równie zaskoczonego jej słowami, co Conor.

– Tak po prostu mu odpuściłaś...? – spytał z niedowierzaniem.

– Mówię tylko, że powinniśmy się postarać zrozumieć Conora. – Abeke obrzuciła obydwu kolegów twardym spojrzeniem. – Dopóki Zdobywcy nie zostaną pokonani, nikt nie będzie bezpieczny. Nikt. Dotyczy to także mojej rodziny.

W jej głosie słychać było naganę. Conor miał świadomość, że na nią zasłużył. Przygryzł wargę i sięgnął ręką do boku, gdzie zazwyczaj stał Briggan. Chciał zmierzwić palcami kędziory na jego karku. To zawsze przywracało mu spokój. Jednak jego dłoń natrafiła na pustkę. Wilk gdzieś zniknął. Być może tylko się schował przed kolejną, wyjątkowo wysoką falą, jednak Conor miał wrażenie, że nieobecność Briggana oznacza, że nawet jego zwierzoduch nie chciał mieć z nim zbyt wiele wspólnego.

– Abeke ma rację – odezwał się Tarik. Mówił jak zwykle spokojnie, ale z naciskiem. – Dlatego właśnie trening jest tak ważny. Abeke, oto talizman. Zobaczmy, jak szybko uda ci się wejść na top masztu.

– Z pomocą Urazy? – spytała dziewczyna.

Podczas rejsu jej lamparcica pozostawała w uśpieniu. Najwyraźniej nie przepadała za podróżami morskimi.

Tarik pokręcił przecząco głową.

– Nie tym razem – odpowiedział. – Przekonajmy się, jak wysoko uda ci się dostać samej, tylko z talizmanem.

Abeke skinęła głową, a zatroskany Conor spojrzał w górę. Prawie na samym szczycie masztu, który mierzył ponad dwadzieścia pięć metrów, znajdowała się niewielka platforma. Można było na nią wejść po wyblinkach – wąskich drabinkach linowych. Jednak nie na tym polegało ich dzisiejsze zadanie. Grupa miała ćwiczyć skoki z pokładu na reję. Reja, czyli poziome drzewce przytwierdzone do masztu, do którego mocowano żagiel, znajdowała się na wysokości dziesięciu metrów nad pokładem. Skok dodatkowo utrudniało kołysanie statku na falach.

Conor miał nadzieję, że w razie niepowodzenia Abeke będzie się starała wpaść do morza. Mokre lądowanie było na pewno lepsze niż upadek na twarde deski pokładu. Lepsze – pod warunkiem że za burtą dziewczyna nie uderzyłaby w kamienny grzbiet któregoś z wielorybów ciągnących statek.

– Skup się, Abeke – podpowiadał jej Tarik. – Skoncentruj uwagę na talizmanie. Wybierz jakieś miejsce na rei, celuj w nie, a gdy już tam dolecisz, spróbuj się czegoś mocno chwycić.

Dziewczyna zaczęła rozciągać mięśnie ramion i łydek.

Conor nie miał pojęcia, jak Abeke poradzi sobie bez lamparcicy, która była niezwykle zwinna i potrafiła zmienić kierunek w pół skoku.

– Teraz! – krzyknął Tarik, kiedy statek pokonał falę, a kolejny bałwan morski był jeszcze daleko.

Abeke skoczyła. Moc Granitowego Barana nadała jej niebywałe przyśpieszenie – mknęła w górę niczym strzała wypuszczona z łuku.

Conor zdał sobie sprawę, że koleżanka leci za szybko, że skoczyła zbyt wysoko, że nie trafi w reję. Przeleci ponad topem masztu, minie wyblinki, reje i drzewce i wyląduje za burtą po przeciwnej stronie statku!

Wstrzymał oddech, obserwując, jak zrozpaczona Abeke podciągnęła kolana i zrobiła salto w locie, żeby wytracić prędkość. Gdy przeleciała nad topem masztu, wyprężyła się, wyrzuciła ręce w górę i złapała się fału – cienkiej linki, za pomocą której wciągano na maszt banderę Zielonych Płaszczy, strażników Erdas. Przez sekundę Conorowi się wydawało, że fał pęknie, a koleżanka zginie na jego oczach wskutek straszliwego upadku z wysokości. Linka jednak utrzymała jej ciężar. Abeke zatoczyła krąg wokół masztu i uderzyła goleniami o reję. Zaskoczona, wypuściła fał z rąk. Osunęła się o metr, ale udało jej się w porę chwycić linkę jeszcze raz. Jak wahadło wychyliła się w przeciwnym kierunku, gdzie o włos uniknęła ponownego uderzenia o nieszczęsną reję, tym razem głową. Odepchnęła się stopami od drzewca i wykonała mało eleganckie, ale skuteczne salto w tył. W końcu uspokoiła kołysanie liny na tyle, żeby złapać się masztu i wejść do bocianiego gniazda. Dopiero stamtąd spojrzała na pokład, znajdujący się ponad dwadzieścia metrów niżej, i pomachała swoim kolegom. Conor z ulgą odwzajemnił ten gest.

– Ale ten talizman ma moc! – wykrzyknął Rollan.

– Tak, jest potężny, a w dodatku wzmacnia wrodzone zdolności Abeke – zgodził się z nim Tarik, kiwając głową z aprobatą.

– Na to wygląda – przyznał Rollan. – Za to trudno sobie wyobrazić, do czego tam, w górze mógłby się przydać wilk. Mam rację, Conor? – zwrócił się do kolegi.

Zanim Conor zdecydował, czy uznać te słowa za żart, spojrzał w górę, bo Essix, siedząca dotąd nieruchomo na jednym ze sztagów głównego masztu, wzbiła się nagle do lotu, wydając przy tym przeciągły krzyk.

– Zobaczyła coś? – spytał Conor.

– Tam! – Rollan wskazał mały punkt za bakburtą, ponad niebiesko-białym morzem. – To chyba jakiś ptak.

Tarik patrzył przez chwilę w tamtym kierunku, przesłaniając oczy dłonią.

– Nic nie widzę – stwierdził.

– To mały ptak, czarno-biały. Leci nisko – ciągnął Rollan. – Jakby przeskakiwał nad falami. Frunie prosto na nas. Mam nadzieję, że Essix nie zdążyła jeszcze zgłodnieć. Karmiłem ją dziś rano...

– To nawałnik – powiedział Tarik. – Jest ptakiem pocztowym, tak jak gołębie w Eurze. Pewnie przynosi wiadomość od Olvana albo Lenori.

Nagle wszyscy trzej się odwrócili, bo tuż za nimi rozległo się głośne łupnięcie. To Abeke wylądowała na pokładzie, przykucając i podpierając się jedną tylko ręką.

– Zeszłam po maszcie i zeskoczyłam z najniższej rei! – wykrzyknęła, podekscytowana. – Wiedziałam, że mi się uda. Dzięki talizmanowi Araxa opadałam wolniej, czułam się jak piórko na wietrze. Kto będzie następny?

– Chyba zrobimy sobie przerwę – odparł Tarik. – Bo czekamy na wieści.

– Słyszałem kiedyś piosenkę o nawałnikach – powiedział z rezerwą Rollan. – Było w niej o tym, że ściągają burze. A może, że przynoszą pecha...

Conor wytężał wzrok od dłuższego czasu i wreszcie udało mu się dostrzec ptaszka, który leciał tak, jakby odbijał się od fal. Po chwili był już na statku – przysiadł na relingu, a następnie w paru skokach znalazł się przy ręce Tarika. Essix sfrunęła z góry na ramię Rollana i wlepiła w intruza groźne spojrzenie bursztynowych oczu.

Tarik odwiązał bardzo ostrożnie od nóżki nawałnika maleńką kapsułę z brązu, a potem uniósł ptaka na dłoni. Skrzydlaty posłaniec zaćwierkał wesoło i odfrunął nad otwarte morze.

– List mieści się w tym pojemniczku? – zdziwił się Conor. – Nie wygląda na długi.

Mężczyzna skinął potakująco głową, po czym jednym ruchem rozkręcił kapsułkę na dwie połówki. Wewnątrz znajdował się zwitek papieru, nie większy od paznokcia małego palca. Tarik wyjął list i go rozłożył. Ku zaskoczeniu wszystkich okazało się, że kartka z wiadomością jest wcale sporych rozmiarów.

– To papier satynowy. Bardzo cienki i mocny zarazem – wyjaśnił podopiecznym Tarik.

– Jest może coś o Meilin? – zapytał Conor ze szczerą nadzieją, że dziewczynie nic się nie stało.

Członkowie drużyny już od tygodnia odbywali szkolenie, podczas którego mieli się nauczyć podstaw żeglarstwa, przede wszystkim zaś przestać wciąż myśleć o ucieczce Meilin. Jak dotąd żadnego z tych dwóch założeń nie udało się zrealizować.

„Niech wieści o Meilin będą dobre – pomyślał żarliwie Conor. – Niech się okaże, że jest bezpieczna w Zhong wśród Zielonych Płaszczy albo nawet że już do nas wraca…".

– Jest wzmianka na jej temat – odpowiedział Tarik. – Wiadomość napisał Olvan: „Brak informacji o Meilin. Miejsce pobytu Dinesha potwierdzone. Nowe rozkazy:

udajcie się do Kho Kensit i nawiążcie kontakt z wysłannikiem Zielonych Płaszczy w gospodzie Pod Jasnym Księżycem przed wschodnią bramą Xin Kao Dai. Uwaga: miasto opanowane przez wroga. Powodzenia".

– Że jak?! Dlaczego? – Rollan nie mógł uwierzyć w to, co usłyszał. – Myślałem, że wracamy do Zielonej Przystani! Albo płyniemy gdzieś, gdzie jest ciepło!

– Kho Kensit to prowincja, która leży na peryferiach Zhong – zaczął tłumaczyć Tarik.

Jego zwierzoduch, wydra Lumeo, zmarszczył pyszczek, naśladując zamyślony wyraz twarzy mężczyzny.

– Najbliżej położonym portem jest Xin Kao Dai – ciągnął dalej Tarik.

– Nie możemy tak po prostu wpłynąć na wody kontrolowane przez zwolenników Pożeracza! – zaprotestował Conor. – Do tego byłaby potrzebna cała flota!

– To ruchliwy port, codziennie przewijają się przez niego setki podróżnych ze wszystkich stron świata – odparł Tarik. – Będziemy w przebraniach, przybijemy do przystani w jednej z szalup...

– O, przebrania to moja specjalność – ucieszył się Rollan. – W kajucie pierwszego oficera jest kufer z ubraniami. Na pewno znajdziemy tam coś dla nas, choćby płaszcze. Byle nie zielone. Hej, mam pomysł! Moglibyśmy się przebrać za minstreli! Ich wszędzie wpuszczają.

– Ale przecież nie mamy instrumentów – stwierdził Tarik. – A nawet gdybyśmy mieli, nikt z nas nie potrafi na żadnym grać.

– To może teatr cieni? – zaproponował Conor. – Kiedyś taki teatr zawitał do Trunswicku. Musimy się tylko postarać o wielką płachtę białego materiału; żagiel by się nadał. Potem trzeba by jeszcze zrobić z czegoś kukiełki i wziąć skądś dużą latarnię. Tamta trupa lalkarzy pokazała w Trunswicku widowisko o różnych odmianach owiec. No wiecie: o amayańskich czarnobrzuszkach, eurańskich długowłosych...

– Kukiełkowe owce?! – Ton Rollana wyraźnie wskazywał na to, że chłopak w życiu nie słyszał o czymś równie niedorzecznym.

– Na pewno coś wymyślimy, mamy trochę czasu – załagodził sytuację Tarik. – Nawet jeśli wieloryby będą płynąć z maksymalną prędkością, mamy przed sobą dzień żeglugi. Poinformuję kapitana o zmianie kursu i zapytam go o radę. Być może on wpadnie na pomysł, jaki nam nie przyszedłby do głowy.

W międzyczasie Abeke ponownie przeczytała wiadomość od Olvana.

– Dinesh to słoń, prawda? – zapytała, wskazując na kartkę. – Nie jakiś tam słoń, tylko ten słoń. Jedna z Wielkich Bestii

– Właśnie tak – potwierdził jej domysły Tarik. – Dinesh jest powiernikiem talizmanu Łupkowego Słonia, który będziemy musieli zdobyć.

Abeke zerknęła na Conora.

– Ale tym razem zatrzymamy amulet, tak? – upewnił się Rollan.

Conor tylko pokiwał głową z rezygnacją.

– Oczywiście, że go nie oddamy – odparł Tarik. – Teraz jednak, póki morze jest w miarę spokojne, powinniście jeszcze poćwiczyć. Czyja kolej?

– Ty idź – burknął do Rollana Conor. – Mam... Mnie chyba dopadła choroba morska. Muszę się położyć.

Odwrócił się i odszedł niepewnym krokiem w stronę rufowej zejściówki prowadzącej pod pokład, potykając się po drodze o Briggana. Nie upadł jedynie dlatego, że w ostatniej chwili złapał się relingu. Jego cierpliwy zwierzoduch poczłapał nieśpiesznie za nim.

Conor oczywiście zmyślił bajeczkę o chorobie morskiej. Nie dręczyły go mdłości, tylko wstyd. Jak miał jak gdyby nigdy nic trenować z kolegami, skoro było jasne, że Rollan mu nie ufa? Widział, że Tarik i Abeke próbują mu wybaczyć, ale Rollan nawet się nie starał. Każde słowo wypowiadane przez Conora stawało się dla Rollana pretekstem do nowych docinków. Przy byle sposobności niedawny przyjaciel dawał mu odczuć, że nie jest mile widziany. Jak więc miał pomóc drużynie zdobyć następny talizman Wielkich Bestii, skoro kolega nawet na sekundę nie pozwalał mu zapomnieć, jak fatalnie zakończyła się ich przygoda z Żelaznym Dzikiem?

Przygnębienie Conora było tym większe, że ich nowy plan wydawał mu się bardzo ryzykowny. Mieli niezauważenie dostać się na terytorium wroga, a tam we czworo stawić czoła potędze Zdobywców. Conor nie był tchórzem, ale nawet nie chciał myśleć o tym, co mogło ich czekać w razie schwytania. Martwił się nie tylko o siebie, lecz także o Briggana oraz o pozostałych członków drużyny, których nadal uważał za swoich przyjaciół. Wiedział, że będą musieli współpracować. I że tym razem nie będzie miejsca na błędy.

Siadł na koi i wczepił palce w sierść Briggana.

– Zrobię wszystko, co w mojej mocy – szepnął wilkowi do ucha. – Dowiodę im, że zasługuję na Zielony Płaszcz!

3

XIN KAO DAI

Xin Kao Dai to malowniczy port – opowiadał Darish, kapitan Dumy Telluna. – Jednak rankiem często go zasnuwa mgła, zwłaszcza o tej porze roku. W pobliżu południowego cypla leży niewielka wyspa. Moglibyśmy zaczekać na otwartym morzu do północy, spuścić szalupę i powiosłować na tę wyspę. Dotarcie stamtąd na brzeg lądu nie powinno nastręczać problemów, bo to pora odpływu, więc woda będzie płytka. Musicie tylko minąć więcierze i znajdziecie się w części miasta zamieszkanej przez rybaków.

Dwa dni później, o świcie Rollan wspomniał słowa kapitana statku. Żałował, że nie wymyślili wówczas innego planu – takiego, który nie zakładałby przemoczenia do suchej nitki.

Zgodnie z przewidywaniami Darisha nad portem wisiała mgła. Jej szare, gęste pasma snuły się wokół, przesłaniając słabe promienie porannego słońca. Jednak Rollan stwierdził z zaskoczeniem, że nie odczuwa zimna. Po raz pierwszy w życiu zdarzyło mu się napotkać ciepłą mgłę. Ale to, że nie była ona chłodna, nie sprawiało bynajmniej, że brodzenie w niej należało do przyjemności. Bardzo dokuczała mu wszechobecna wilgoć – skraplająca się woda ściekała mu po szyi, a nawet dostawała się do uszu. Ciągle mrugał i potrząsał głową, żeby strząsnąć kropelki spływające do oczu.

Morze również było ciepłe. Rollan miał świadomość, że powinien się z tego cieszyć, bo przecież stał po pas w wodzie. Jednak, starając się dotrzymać kroku Tarikowi, burczał pod nosem:

– Co za geniusz to wymyślił?

Conor szedł za nim, a pochód zamykała Abeke. Wszyscy czworo nieśli na plecach spore tobołki z kukiełkami, których ręce i nogi zwisały bezwładnie na różne strony. Tarik miał dodatkowy ekwipunek: do jego plecaka przytroczona była wielka latarnia sztormowa.

To Abeke wpadła na pomysł, żeby przygotować przedstawienie o Poległych Bestiach. Opowiedziała towarzyszom o widowiskach, jakie oglądała w Nilo, a potem ze szczegółami opisała jedną z lalek używanych przez ulicznych artystów. Była to kukiełka Gerathona, wielkiej kobry, złożona z co najmniej trzydziestu segmentów. Na scenie wąż wił się i otwierał przerażającą paszczę, chcąc pożreć wszystko, co stanęło mu na drodze. Ta część opowieści Abeke nieszczególnie przypadła do gustu Tarikowi.

Mieli uchodzić za wędrownych lalkarzy, więc musieli wziąć ze sobą również płócienny ekran. Wielka płachta, wycięta z żagla, była przeraźliwie ciężka. Conor zgłosił się na ochotnika, żeby ją dźwigać, być może w nadziei, że koledzy w końcu spojrzą na niego łaskawszym okiem. Rollan nie miał rodziny, dlatego zupełnie nie mógł zrozumieć, dlaczego Conor dobrowolnie oddał talizman Zdobywcom. Nie pojmował też, dlaczego Meilin postanowiła uciec, tym bardziej że osoba, którą chciała ratować, mogła od dawna nie żyć. Dla Rollana nie miało to krztyny sensu. Starał się po prostu trzymać głowę nad wodą. W przenośni, ale czasem i dosłownie...

– Blisko już? – zapytał szeptem Tarika, bo nad wodą dźwięki niosły się daleko.

Mgła była tak gęsta, że Rollan widział zaledwie na kilka kroków naprzód.

Wszyscy szli w napięciu – zakradali się do Zhong, gdzie najdrobniejszy błąd mógł oznaczać dostanie się w ręce Zdobywców.

Z drugiej jednak strony gdzieś w Zhong była Meilin...

Rollan zmarszczył czoło. Znów przyłapał się na tym, że się zastanawia, gdzie mogła teraz być, i próbuje zgadnąć, kiedy znów ją zobaczy. Potrząsnął głową, starając się przegnać sprzed oczu jej obraz. To nie był dobry moment, żeby zaprzątać sobie myśli kimś, kto uciekł i go zostawił... Zostawił ich drużynę.

– Wszystko w porządku? – zapytał Conor.

– Mam wodę w uszach – odwarknął Rollan.

– Jesteśmy prawie na miejscu – oznajmił Tarik. – Już widzę więcierze.

– Czy te więcierze są niebezpieczne? – spytał Rollan, który nigdy wcześniej nie widział pułapki na ryby.

– Tylko dla ryb – uspokoił go dowódca.

– Ale na pewno? – Rollan nadal miał wątpliwości. – To byłoby trochę zbyt proste...

Prawą stopą natrafił właśnie na podwodny wykrot i w okamgnieniu jego głowa znalazła się dużo bliżej tafli wody, niżby sobie tego życzył. Zamachał rękami, rozpaczliwie rozbryzgując wodę, i zachłysnął się obrzydliwie słonym płynem, ale na szczęście nie upadł. Udało mu się odzyskać równowagę i wyprostować, tyle że nie o własnych siłach. Ktoś mu pomógł.

Conor.

– Wszystko w porządku? – zapytała tym razem Abeke, idąca w pewnej odległości za kolegami.

Rollan odsunął się od Conora i rzucił gniewnie:

– Możecie przestać ciągle mnie o to pytać? Nic mi nie jest.

Mając twardy grunt pod obiema stopami, rzeczywiście poczuł się pewniej. Nic mu się nie stało, był tylko rozdrażniony. Wiedział, że powinien podziękować Conorowi za pomoc, ale nie był w stanie wybaczyć mu zdrady, a odejście Meilin jeszcze bardziej skomplikowało ich relacje. W tej chwili marzył jedynie o tym, żeby jak najszybciej stanąć na suchym lądzie. Woda utrudniała ucieczkę. Również od bólu i niewesołych myśli. Ale przynajmniej na chwilę przestał się martwić o Meilin.

– Nie możemy się zatrzymywać – upomniał chłopaków Tarik. – Nim mgła się rozwieje, musimy wejść na brzeg i minąć chaty rybaków. – Po tych słowach narzucił znacznie szybsze tempo marszu.

Rollan nadążał za nim z dużym trudem. Głównie dlatego, że obawiał się podwodnych zapadlin. I groźnych więcierzy.

– Pamiętajcie, rękawy musicie mieć przez cały czas opuszczone i spięte w nadgarstkach – przypomniał podopiecznym Tarik. – Zwierzoduchy wolno wam przyzwać wyłącznie w sytuacji zagrożenia życia. Ciebie to nie dotyczy, Rollanie. Ptaki łowne są tutaj często spotykane. Choć zapewne nie u lalkarzy, więc lepiej będzie, jeżeli Essix pozostanie w powietrzu...

Rollan nie mógł nic obiecać. Nadal wstydził się tego, że nie potrafił skłonić sokolicy do przejścia w stan uśpienia. Dobrze, że Essix mogła wszędzie latać, nie zwracając na siebie uwagi. Teraz też była gdzieś nad nimi, ponad morzem i mgłą.

Więcierze okazały się zatkniętymi w piach wiklinowymi koszami o cylindrycznym kształcie i wysokości dorosłego mężczyzny. Było ich kilkadziesiąt; stały co metr lub dwa, przypominając dziwny las wyrastający z morza. Tarik prowadził grupę pomiędzy tymi wielkimi pułapkami, pełnymi trzepoczących się srebrzystych ryb, które dostały się tam podczas przypływu i nie zdołały się już wyswobodzić.

Młodzi szli za Tarikiem. Im bliżej byli brzegu, tym bardziej przyśpieszali kroku, jednocześnie starając się jak najmniej rozchlapywać wodę, żeby nie zmącić porannej ciszy. W końcu morze zostało za nimi.

Robiło się coraz widniej, na wschodzie słońce wychylało się już zza horyzontu. W bladym świetle, przytłumionym przez mgłę, Rollan dostrzegł rozległą, piaszczystą plażę, na której znajdowało się mnóstwo łodzi rybackich. Dalej, w głębi lądu majaczyły ciemne sylwetki domów. Po lewej stronie wznosiła się jakaś bardziej okazała budowla. Była to wieża strażnicza. Szczęśliwie dla drużyny, nadal spowijała ją gęsta mgła. Z brzegu widać było jedynie dolną część budynku oraz czerwone światło pochodni, migoczące na jego szczycie.

Na plaży byli widoczni jak na dłoni, dlatego Tarik ponaglił grupę. Wszyscy mieli świadomość, że jeśli nie uda im się przedostać do miasta, zanim słońce rozproszy poranną mgłę, będą zgubieni – jak ryby w więcierzu.

Ruszyli ścieżką prowadzącą ku rzędowi chat rybackich. Kiedy zbliżyli się do zabudowań, Tarik zmienił raptownie kierunek marszu: zboczył ze ścieżki i szybkim krokiem podążył wzdłuż muru skrytego w cieniu. Podopieczni pośpieszyli za nim. Abeke zdążyła schować się za kamienną ścianą dosłownie w tej samej chwili, gdy z mgły wyłoniło się trzech rybaków, idących do pracy z koszami na plecach i ościeniami w dłoniach.

Kiedy morze zaskrzyło się w promieniach poranka, Rollan przeżył coś niezwykłego. Zdawało mu się, że patrzy znad mgły i widzi wszystko nieporównanie wyraźniej niż zazwyczaj. Zobaczył krawędź tarczy słonecznej wyłaniającej się znad horyzontu. Zamrugał kilkakrotnie. Dotarło do niego, że te obrazy zsyła mu Essix.

Spoglądał na świat oczami sokolicy!

Aż otworzył usta z niedowierzania, z czego natychmiast skorzystała jakaś zabłąkana mucha. Wypluł ją odruchowo. Jego umysł był zbyt zaprzątnięty tym, co się właśnie wydarzyło, żeby miał zwracać uwagę na takie drobnostki.

Widział tak samo jak Essix!

Rollan chciał od razu podzielić się tym niesamowitym doświadczeniem z towarzyszami, ale to nie był dobry moment na opowieści. Mieli opóźnienie – słońce stało na niebie wyżej, niż się spodziewali. W mieście lada chwila miał się rozpocząć kolejny dzień pracy. Dlatego musieli jak najszybciej opuścić osadę rybacką przy brzegu i dostać się do miasta. Niebawem będzie za późno, żeby niezauważenie wmieszać się w tłum.

– Musimy iść dalej – szepnął Rollan do Tarika. – I to natychmiast!

– Może lepiej się gdzieś schowajmy i przeczekajmy do zmierzchu – zaproponował nerwowo Conor. – Wszyscy pójdą teraz łowić, chaty zostaną puste…

– To fatalny plan – warknął w odpowiedzi Rollan. – W chatach zostaną przecież rodziny rybaków. Poza tym możemy się natknąć na jakiś patrol. Musimy iść! Słońce już wzeszło i mgła zaraz się rozwieje!

– Rollan ma rację – przyznał Tarik, bacznie rozglądając się wokół. – Przekradniemy się drogą na tyłach osady.

Niedaleko stąd jest rynek, a na nim targ. Gdyby tylko się nam udało tam dostać…

– Dobra. Za mną. – Rollan szybko przejął dowodzenie, bo nie zamierzał czekać, aż Conor wpadnie na kolejny beznadziejny pomysł.

– Czekaj! – Tarik przytrzymał chłopaka za ramię. – Ja pójdę pierwszy. Jeśli zauważą nas straże, wy troje zdołacie jakoś uciec.

– Nie ma mowy – sprzeciwił się Rollan. – Nie obraź się, Tarik, ale twój wygląd zwraca uwagę. Wyróżniasz się nawet bez zielonego płaszcza. Lepiej trzymaj się z tyłu i udawaj pachołka.

W odpowiedzi na te słowa Tarik uniósł jedno ramię, wysunął dolną szczękę, przygarbił się i zrobił kilka kroków, utykając na jedną nogę. Po tej przemianie przypominał tępego osiłka.

Rollan zaczął podejrzewać, że ich dowódca jest znacznie sprytniejszy, niż z początku mu się wydawało. Pokiwał głową z aprobatą. Przez chwilę nasłuchiwał, a potem ruszył wzdłuż tylnej ściany chaty, wiodąc resztę grupy za sobą. Wytężał wszystkie zmysły. W mieście, choćby i takim, w którym nie był nigdy przedtem, czuł się jak ryba w wodzie. Zamierzał pokazać towarzyszom, na co go stać. Po pierwsze mieli dotrzeć do rynku…

Przeprowadził drużynę za czterema drewnianymi chatami. Następnie razem pobiegli truchtem do rzędu pali z sieciami suszącymi się na słońcu. Pokonanie kolejnych dwudziestu metrów było łatwe: wystarczyło kryć się pod

rozwieszonymi sieciami. Później jednak Rollan stracił rezon. Zatrzymał całą drużynę uniesieniem dłoni i zapatrzył
się w dal.

Mgła się rozwiewała, więc zobaczył przed sobą szeroką
drogę, oddzielającą osadę rybacką od straganów na miej-
skim rynku, na których przekupnie zaczęli już układać
swoje towary, wymieniając między sobą głośne pozdro-
wienia. Na środku drogi stało dwoje strażników, mężczyzna i kobieta. Wyglądali Rollanowi na zwykłych członków miejskiej służby porządkowej, o czym świadczyły ich
powyginane hełmy i podniszczone zbroje ze skóry. Obok
kobiety kręcił się jednak zwierzoduch, chyba gronostaj.
A przecież wiadomo, że zwierzoduchy nie towarzyszyły
na warcie prostym strażnikom. Kobieta musiała więc na-
leżeć do stronników Pożeracza. Do Zdobywców, którzy
zajęli Xin Kao Dai.

– Co teraz? – szepnął Conor.

Rollan uniósł stanowczym gestem palec do ust, nakazu-
jąc towarzyszom ciszę, bo przecież nie chcieli przyciągnąć
uwagi czujnego gronostaja albo strażniczki, której zmysły
były zapewne wyostrzone dzięki zwierzoduchowi. Zastanawiał się gorączkowo, co zrobić w tej sytuacji.

Abeke złożyła ręce jak do strzału. Jej łuk i kołczan były
ukryte pod kukiełkami. Rollan jednak pokręcił głową.
Zabicie strażników miejskich byłoby najkrótszą drogą do
tego, żeby dać się złapać. Nie powinni wzbudzać zainte-
resowania, a raniąc lub zabijając zbrojnych, osiągnęliby
odwrotny skutek.

Namyślał się jeszcze przez chwilkę, potem powoli i ostrożnie uwolnił się od ciężaru tobołka i przedstawił swój plan grupie, która zebrała się wokół niego pod osłoną sieci rybackich.

– Odwrócę uwagę tej dwójki. Kiedy już się oddalą, przejdźcie przez ulicę i idźcie na rynek. Tylko weźcie ze sobą worek z moimi rzeczami. Spotkamy się przy... przy największym straganie z ciastami.

– A jeśli nie będzie tam żadnego straganu z ciastami? – zapytał Conor.

– Na targu zawsze ktoś sprzedaje ciasta – powiedział z przekonaniem Rollan.

– Nawet w Zhong? – dopytywała się nie do końca przekonana Abeke. – Oni tu chyba nie przepadają za słodyczami. Tak słyszałam.

O tym Rollan nie pomyślał. Był jednak pewien, że mieszkańcy Xin Kao Dai muszą mieć jakieś przysmaki – choćby nie były to słodkości.

Tymczasem Tarik trącił Rollana i wskazał wieżę górującą nad rynkiem, która znajdowała się w odległości mniej więcej pół kilometra od nich. Chłopak westchnął i powiedział:

– Dobra, spotykamy się po zacienionej stronie tamtej wieży. Znajdę was. Essix was wypatrzy.

– To ryzykowne, ale chyba nie mamy wyboru – odparł Tarik. – Uważaj na siebie, Rollanie.

– Zawsze na siebie uważam – odparował chłopak i mrugnął łobuzersko.

Nie zwlekając, wydobył zza pazuchy nóż i odciął spory kawał sieci, którym obwiązał sobie głowę, formując coś, co miało przypominać turban. Potem zdjął swoją niebieską kurtkę żeglarską, wywrócił ją na drugą stronę i założył podszewką na wierzch.

– Zaczekajcie, aż za mną pobiegną – szepnął i wyszedł spomiędzy sieci wprost na strażników.

Ci jednak żywo o czymś dyskutowali i zwrócili na niego uwagę dopiero, gdy gronostaj stanął słupka i zasyczał.

Rollan wrzasnął wtedy przeraźliwie i zatoczył się na jeden ze straganów, na którym były wyłożone przeróżne ozdoby. Ściągnął ze stołu naręcze naszyjników, zerwał ze sznurów korale i rozsypał dookoła.

– Jad! Napluł mi jadem w oczy! – zaczął wrzeszczeć na całe gardło, wskazując na gronostaja.

Strażnicy zaklęli i ruszyli ku niemu razem ze zwierzoduchem. Rollan przewrócił im pod nogi kosz pełen błyskotek i zanurkował pod wyciągającymi się w jego stronę rękami jakiegoś przekupnia. Potem popędził w głąb rynku, zawodząc wniebogłosy:

– Jad! Trucizna!

4

TAJEMNE SYGNAŁY

Kiedy tylko strażnicy pobiegli za Rollanem, Tarik, Abeke i Conor przeszli przez ulicę i dotarli do rynku. Serca waliły im w piersiach jak oszalałe. Byli przekonani, że zaraz ktoś ich zauważy, zdekonspiruje i zacznie krzyczeć na alarm. Ale... nikt nawet na nich nie spojrzał. Pościg za Rollanem przykuł skutecznie uwagę ludzi zebranych na targowisku.

Po chwili, gdy przekupnie powrócili do handlowania, członkowie drużyny, podszywający się pod trupę lalkarzy, wypatrzyli stragan z gorącą strawą i ustawili się w kolejce po ryż z mięsem, który podawano na zielonych liściach. Po nieurozmaiconym wikcie, serwowanym przez kucharza pokładowego, zapach potraw rozchodzący się na rynku wydawał się Abeke wprost wyborny.

– O, lalkarze! – Sprzedawca domyślił się ich profesji, kiedy nakładał im chochlą pikantną potrawkę. – Gdzie występujecie? Moja córka uwielbia teatr cieni.

– W gospodzie przed wschodnią bramą – odparł Tarik.

– A tak, Pod Jasnym Księżycem – skojarzył szybko mężczyzna. – W całym Kho Kensit nie znajdziesz lepszego wina ryżowego! Czyli mam drugi powód, żeby przyjść na wasze przedstawienie. Proszę, oto trzy porcje.

Tarik podał kramarzowi trzy małe, srebrne monety, które starannie wybrał wcześniej. Każdą z nich wybito na innym kontynencie – w Eurze, Zhong oraz Nilo.

– Jesteśmy tu od niedawna – zagadnął sprzedawcę tonem błahej rozmowy, podając jedzenie Conorowi i Abeke. – Martwiłem się plotkami krążącymi o Zdobywcach i zmianie rządu, ale wygląda na to, że panuje tu spokój.

– Zupełny spokój – odparł zdawkowo mężczyzna i odwrócił wzrok. – Następny proszę, kolejka czeka.

Członkowie drużyny oddalili się i wmieszali w tłum. Abeke obejrzała się na handlarza i z niepokojem zauważyła, że ten nie odrywał od nich oczu. Pozostawało jej mieć nadzieję, że bardziej interesuje go sprzedawanie strawy niż donoszenie straży, że w mieście pojawili się obcy. Najwyraźniej coś, co powiedział Tarik, musiało wzbudzić w mężczyźnie podejrzliwość.

Słońce było coraz wyżej i mieszkańcy Xin Kao Dai wylegali licznie na rynek po codzienne zakupy. Wąskie przejścia pomiędzy straganami stawały się coraz bardziej zatłoczone, hałaśliwe i pełne kurzu.

– Mam nadzieję, że Rollan nie dał się złapać – mruknął Conor, kiedy już zaczęli się zbliżać do wieży górującej nad placem targowym.

– Rzeczywiście, od czasu odejścia Meilin wydaje się trochę rozkojarzony – zauważyła Abeke. – Ale jestem pewna, że go nie złapią. No, prawie pewna…

– Nas też mogą złapać – wymamrotał Conor, nerwowo zerkając w stronę dwóch strażników oglądających klingi noży, które sprzedawano na straganie.

– Umówiliśmy się po zacienionej stronie wieży, tak? – upewniła się Abeke. Zaczynała się martwić nie na żarty. Gdzie się podziewał Rollan?

Spojrzała w lewo i wtedy Rollan wyrósł obok niej jak spod ziemi. Nie miał już na głowie turbanu z rybackiej sieci, a kurtkę przewrócił na właściwą stronę. Nim Abeke zdołała się otrząsnąć ze zdziwienia, jak gdyby nigdy nic podniósł z ziemi swój tobołek i zarzucił go na ramię.

– Dzięki – powiedział. – Jesteście gotowi? Możemy iść do wschodniej bramy?

– Gotowi – potwierdził Tarik w imieniu grupy. – A co ze strażnikami?

– Wywiodłem ich w pole. Skończyli w wykopie, do którego straganiarze wyrzucają śmieci. Jakoś tak się złożyło, że… hmm… potknęli się i wpadli do dołu. Sądząc po zapachu, to wyjątkowo obrzydliwe miejsce. Przypuszczam, że nie wydostaną się stamtąd przez jakiś czas.

– Dobra robota, Rollanie.

Chłopak dumnie wypiął pierś i zakomenderował:

– A teraz za mną!

– Musimy postępować roztropnie – ostrzegł Tarik, zanim Rollan zdążył ruszyć z miejsca. – Nadmierna pewność siebie może nas zgubić. Poproś Essix, żeby przepatrzyła drogę do bramy.

– Już to zrobiłem.

– Pamiętaj, że musi latać wysoko. Jeśli ktoś ją zauważy i zorientuje się, że jest zwierzoduchem...

– Nie martw się, Essix jest bardzo ostrożna – obruszył się Rollan.

Mimo irytacji wydawał się bardziej opanowany niż wcześniej, co uspokoiło również Abeke. Przede wszystkim nie powinni rzucać się w oczy. Wyczyny w rodzaju wywiedzenia w pole strażników były na pewno sprytne, ale i niebezpieczne.

– Szczwany z ciebie lis – powiedziała Rollanowi, gdy szli przez rynek, jakby byli zwykłymi przechodniami. – Pewnie wprawiłeś się w takich sztuczkach w Concorbie.

Rollan wykonał ręką gest, pokazując najpierw wierzch, a potem wnętrze dłoni.

– Co to znaczy? – zapytała dziewczyna.

– To znak uliczników. Tak się mówi „trochę" albo „nie bardzo".

– Nasi myśliwi też używają różnych gestów – odparła Abeke. – Podczas podchodzenia zwierzyny tylko w taki sposób można się porozumiewać.

– Pokaż mi wasze znaki, a ja pokażę ci nasze, z Concorby – zaproponował Rollan.

Szli przez tłum, porównując znaki z Amayi i Nilo. Niektóre gesty były do siebie podobne, jednak nawet gdy wyglądały identycznie, zwykle miały inne znaczenia. Szybki ruch lewej dłoni dla Rollana oznaczał kieszonkowca, a dla Abeke – „kryj się".

W pewnym momencie, gdy na końcu przejścia między kramami stanęło kilku strażników, Abeke wskazała dwoma pacami za siebie, ku jednemu z pustych straganów. Rollan natychmiast zrozumiał jej intencje. Abeke zanurkowała pod stoiskiem i wyszła po drugiej stronie, a jej towarzysze ruszyli w ślad za nią.

Jakiś kupiec wykrzyknął coś gniewnie pod ich adresem. Abeke nie zrozumiała słów, ale rozpoznała wyraz nienawiści w jego oczach i dostrzegła nagłe zaniepokojenie ludzi stojących w pobliżu.

Kiedy nareszcie udało im się oddalić od rynku, Abeke poczuła, że dokuczliwe, nieprzyjemne mrowienie wzdłuż jej kręgosłupa zaczęło z wolna ustępować. Plątanina wąskich uliczek zaprowadziła ich do bogatszej dzielnicy, w której swoje interesy prowadzili zamożni kupcy. Ulice nadal pełne były przechodniów, dzięki czemu mogli się wtopić w tłum. Jednak nawet w tym mrowiu zwracali na siebie uwagę. Ubrania nadal mieli mokre po porannym lądowaniu na plaży, a z tobołków, które nieśli na plecach, na wszystkie strony sterczały części kukiełek.

Na szczęście, gdy zbliżyli się do wschodniej bramy Xin Kao Dai, potok mieszczan zaczął się kurczyć i zwalniać. Po prawej i lewej stronie widać już było mury miejskie oraz potężną kordegardę strzegącą wrót. Na jej szczycie powiewała flaga z symbolem Zdobywców. Jedno skrzydło bramy było zamknięte, a obok niego w wąskim przejściu stali strażnicy. Kontrolowali wszystkich ludzi, zarówno tych wchodzących, jak i wychodzących z miasta, przez co po wewnętrznej i zewnętrznej stronie muru ustawiły się kolejki oczekujących.

– Pamiętajcie, jak się nazywacie – szepnął Tarik, mając na myśli ich fałszywe imiona, których się nauczyli podczas ostatniego dnia podróży morskiej. – Jesteśmy trupą lalkarzy w drodze na przedstawienie w gospodzie Pod Jasnym Księżycem. Trzymajcie się tej wersji.

Zamilkł, bo kolejka posunęła się do przodu. W bramie stało pół tuzina strażników, uważnie sprawdzających przechodniów. Dwoje zbrojnych miało ze sobą zwierzoduchy. Jeden, ogromny, muskularny pies, dokładnie obwąchiwał wszystkich podróżnych, drugi, wielki pająk, siedział na ramieniu swojej ludzkiej towarzyszki, a z jego kądziołków przędnych zwisały wzdłuż ramienia strażniczki nici pajęczyny.

– Imiona i cel podróży! – warknął wartownik pilnujący z brytanem.

– Zwę się Mosten – odparł Tarik. – Jestem lalkarzem i zmierzam na przedstawienie do gospody Pod Jasnym Księżycem. A to moi czeladnicy: Olk, Snan i Pahan.

Pies obwąchał najpierw Tarika, po czym obszedł młodych, węsząc uważnie wokół każdego z osobna. Kiedy skończył, zamiast usiąść spokojnie przy swoim partnerze, okrążył trójkę dzieci jeszcze raz, najwięcej uwagi poświęcając Abeke. Po chwili wlepił w nią oczy i zaczął nisko warczeć.

– Smagish cię nie lubi – syknął strażnik. – Dziwnie pachniesz.

– Przed chwilą bawiłam się z kociakiem – powiedziała szybko dziewczyna. – Chciałam go kupić, ale Mosten nie pozwolił. Powiedział, że srebro wydajemy tylko na pożyteczne cele.

– Srebro? – zaciekawił się od razu wartownik. – Macie pieniądze?

– Oczywiście – odparł Tarik. – Chcieli pięć srebrników za kociaka. To przecież rozbój w biały dzień!

– Po ulicach wałęsają się włóczędzy bez grosza przy duszy i tylko czekają na okazję, żeby oskubać jakiegoś naiwniaka. Pokaż pieniądze – rozkazał strażnik.

Tarik pokazał mu pięć srebrnych monet. Wartownik rozejrzał się na boki, po czym szybko zgarnął pieniądze.

– Tytułem grzywny – oświadczył. – Za zabawę z kociętami i marnowanie czasu straży. Idźcie dalej.

Ruszyli, ale wtedy zatrzymała ich kobieta z wielkim pająkiem na ramieniu.

– Zaraz, zaraz – wycedziła przez zęby.

Rollan napiął mięśnie w oczekiwaniu, że paskudny ośmionogi zwierzoduch zaraz na nich skoczy albo że wartowniczka zaatakuje ich mieczem. Ale pająk nie ruszył się z miejsca, a kobieta nie sięgnęła po broń.

– A ja? – zapytała ze złością. – Gdzie moja dola?

– Tak nie można! – zaprotestował płaczliwie Rollan. – Zostały nam tylko trzy srebrniki!

– Oddawaj! – przerwała jego skargi strażniczka.

Tarik wzruszył ramionami i demonstracyjnie zaczął przetrząsać fałdy swojej sakwy. W końcu niechętnie podał monety kobiecie, która przyjęła je z takim wyrazem twarzy, jakby to były nędzne ochłapy.

– Mógłbyś dać jej jeden srebrnik, mielibyście wtedy po cztery – zasugerował strażnikowi Rollan, spostrzegając przy okazji, że twarz mężczyzny jest zadziwiająco podobna do pyska jego zwierzoducha.

– To moja dola – zaoponował wartownik.

– Dawaj jedną! – podchwyciła myśl jego towarzyszka.

Zaczęli się kłócić, więc Rollan ruszył naprzód, pokazując Abeke, żeby się pośpieszyła. Jednak ani ona, ani Tarik i Conor nie potrzebowali ponagleń. Sprawnie wyszli za bramę, pozostawiając za sobą wartowników na dobre pochłoniętych sprzeczką.

Kiedy znaleźli się za bramą, Abeke ze zdumieniem zauważyła, że wzdłuż zewnętrznej strony murów znajdowały się dziesiątki małych domostw. W żadnym znanym jej aurańskim grodzie nie pozwalano na wznoszenie zabudowań tuż za miejskimi murami. Tymczasem pod Xin Kao Dai powyrastały niezliczone chaty, wszystkie z wąskimi drzwiami, za którymi tu i ówdzie widać było brudne pomieszczenia o rozmiarach klatek dla kur. W tych klitkach gnieździły się jednak całe rodziny. Mieszkańcy ruder awanturowali się ze sobą i walczyli o ochłapy jedzenia z tutejszymi psami, które były tak wychudzone, że bardziej przypominały szczury. Abeke zdała sobie sprawę, że w obskurnych barakach koczowała biedota.

Prowizoryczne chaty łatwo było zrównać z ziemią, w razie gdyby grodu trzeba było bronić przed wrogim najazdem. Tylko że mieszkańcy Xin Kao Dai nie stanęli do walki i miasto zajęli Zdobywcy.

– Fuj – powiedziała Abeke, marszcząc nos, bo wokół unosił się intensywny smród. W jej rodzinnej wiosce nikt nie tolerowałby takiego brudu. – Cieszę się, że wydostaliśmy się z miasta, ale tu… tu jest po prostu okropnie!

– Wkrótce zostawimy to miejsce daleko za sobą i udamy się w głąb Zhong – powiedział cicho Tarik. – Musimy tylko się spotkać z posłańcem i ustalić trasę.

– Czy to nasza gospoda? – zapytał Rollan, wskazując okazałą budowlę otoczoną niskim murem, który zapewne miał ją odgrodzić od okolicznych ruder i biedoty. Nad drewnianymi wrotami wisiał szyld przedstawiający jasny półksiężyc wschodzący nad górskim szczytem.

– Zgadza się – odparł Tarik. – Ale nie zabawimy tu długo. Znajdę naszego człowieka i ruszymy w dalszą drogę tak szybko, jak to będzie możliwe.

Drużyna przeszła przez bramę i stanęła się jak wryta. Dziedziniec był pełen żołnierzy, którzy porozsiadali się na leżących wokół beczkach. Co gorsza, zbrojnym towarzyszyły dziesiątki zwierzoduchów.

Okazało się, że gospoda była obozem wroga.

5

POD JASNYM KSIĘŻYCEM

Conor się zawahał, nerwowo rzucił spojrzeniem na boki i już miał zrobić krok do tyłu, gdy Tarik ujął go za ramię i mocno przytrzymał.

– Jeśli zaczniemy uciekać, ściągniemy na siebie podejrzenia – szepnął.

– Musimy udawać, że wszystko jest w porządku, nawet jeśli nie jest – zgodził się z nim Rollan. – Chodźmy!

Czworo towarzyszy zbiło się w ciasną grupkę i ruszyło ku wejściu do gospody. Gdy przeciskali się wąskim przejściem między żołnierzami, ci, dotąd pogrążeni w rozmowach, milkli i odprowadzali nieznajomych wzrokiem. Również zwierzęta odwracały się w ich stronę. Wąż, który luźno owijał szyję jednego z mężczyzn, posmakował rozwidlonym językiem zapachu powietrza i wlepił swoje paciorkowate oczy w przybyszów, zupełnie jakby wyczuł coś podejrzanego. Dwie łasice przerwały na chwilę bójkę, żeby im się przyjrzeć. Conor był gotów w każdej chwili uwolnić Briggana z uśpienia, bo czuł, że lada moment mogą zostać zdemaskowani. Nie miał nic przeciwko skrytemu działaniu, ale w razie konieczności nie obawiał się też bezpośredniej walki.

Gdy Tarik postawił stopę na pierwszym stopniu schodów prowadzących do wejścia, drzwi gospody raptem się otworzyły. Na progu pokazał się wysoki mężczyzna w niezbyt czystym fartuchu i z mnóstwem kubków przytroczonych do paska. Bez narażania się na omyłkę można było zgadnąć, że to oberżysta we własnej osobie.

– Lalkarze! – wykrzyknął z ulgą, unosząc ręce. – Posyłałem po aktorów i minstreli, ale i wy świetnie się nadacie. Ile chcecie za przedstawienie? I czy możecie zacząć występ od razu?

Tarik nie był w stanie wydusić słowa ze zdumienia i Rollan musiał ratować sytuację.

– Dwanaście srebrników i kolacja dla całej czwórki – zażądał. – Z rozpoczęciem widowiska musimy jednak poczekać do wieczora, aż zrobi się nieco ciemniej. Powiedzmy do godziny szóstej.

– Zgoda! – zawołał oberżysta i niespokojnie powiódł wzrokiem po żołnierzach, którzy powrócili już do swoich kart, butelek i rozmów. – Zwę się Bowzeng. Pięćdziesięciu Zdobywców stanęło u mnie na kwaterze. Strasznie się nudzą i z braku innych rozrywek zabawiali się dotąd niszczeniem moich sprzętów. – Zmiął pod nosem przekleństwo. – Zapraszam szanownych artystów do środka.

Kiedy tylko się odwrócił i wszedł do gospody, Abeke pociągnęła Rollana za rękaw.

– Zwariowałeś? – syknęła. – Przecież my nie potrafimy dawać przedstawień!

Conor pokiwał energicznie głową, bo całkowicie się zgadzał z koleżanką. Wprawdzie pomógł pokładowemu cieśli zrobić kukły, ale nawet nie próbował ich używać.

– Wcale nie będziemy musieli występować – wyszeptał Tarik. – Rollan wie, co robi. Róbcie to samo co on.

Na te słowa Rollan aż się rozpromienił. Za to Conor poczuł ukłucie zazdrości. W końcu to on wpadł na pomysł z lalkami. Gdyby nie to, już dawno zostaliby schwytani.

W dużej wspólnej sali gospody, która – podobnie jak dziedziniec – była pełna żołnierzy, Bowzeng wskazał niewielki podest z tyłu pomieszczenia i powiedział:

– Tutaj możecie zawiesić płachtę. W suficie są haki. Zaraz zapowiem wasze przedstawienie… Właśnie, jak się nazywacie?

– Nasza trupa nosi nazwę Cudowne Kukiełki Mostena – odparł Rollan. – Powiesimy zasłonę i przygotujemy się do występu, ale jak mówiłem, jeszcze jest za jasno.

– Możemy zamknąć okiennice – podsunął oberżysta i znów rozejrzał się nerwowo.

Zbrojni siedzieli rozparci przy stołach zastawionych kuflami, co rusz wszczynając kłótnie o kości lub karty. Wielu z nich należało do Naznaczonych, ale ich zwierzoduchy albo pozostawały w uśpieniu, albo trzymały się blisko swoich partnerów.

Bowzeng trwożliwie wodził wzrokiem po gościach, przeczuwając, że lada chwila zaczną rozrabiać.

– Potrzebujemy czasu na przygotowania – powiedział spokojnie Rollan.

Podszedł do podestu i zdjął z pleców tobołek. Potem pomógł Abeke z jej bagażem i wyjął zrolowaną płachtę płótna żaglowego z plecaka Conora.

– Wracajcie do swoich zajęć, panie Bowzeng – rzucił przez ramię.

Oberżysta nie wyglądał na uspokojonego, ale zrezygnował z dalszych ponagleń. Odchodząc w stronę baru, przywołał któregoś ze służących.

– Więcej wszystkiego dla naszych czcigodnych gości! – zarządził donośnie.

– Zawieście płachtę – syknął Rollan do Abeke, ale Conor wiedział, że polecenie było skierowane również do niego, tylko kolega po prostu unikał patrzenia mu w oczy. – Eee... Mosten, będziemy potrzebowali wiader z wodą albo piaskiem w razie zaprószenia ognia. Ustawimy je obok największej latarni. Pomożesz mi szukać?

Tarik skinął głową i obaj zniknęli w kuchni.

– Bierzmy się do roboty – ponagliła Conora koleżanka.

Chłopak zdał sobie sprawę, że nadal rozmyśla o zachowaniu Rollana i że jest mu przykro z powodu jego rezerwy i nieufności. Rozkojarzenie jednak nigdy nie prowadziło do niczego dobrego, dlatego odpędził od siebie ponure rozważania i zaczął rozwijać płótno, a Abeke natychmiast złapała za drugi koniec materiału, żeby mu pomóc.

Po kilku chwilach udało im się równo zawiesić płachtę i na zydlu za nią ustawić latarnię. Wtedy właśnie wrócili Rollan i Tarik z wiadrami pełnymi wody, która rozchlapywała się na boki, znacząc drogę z kuchni mokrym śladem. Czwórka towarzyszy, osłonięta przed oczami żołnierzy płóciennym ekranem, zebrała się wokół bagaży, żeby złożyć kukły.

– Odszukałem posłańca – szepnął Tarik. – Już kiedyś pracowaliśmy razem. To było kilka lat temu, ale rozpoznał mnie natychmiast. Jest tu kucharzem. Ma dla nas dobre wieści: Lishay, jedna z naszych, znalazła Dinesha. Musimy do niej jak najszybciej dotrzeć. Miejsce, w którym mamy się spotkać, znajduje się daleko, w Kho Kensit, więc przed nami długa droga, ale większą jej część pokonamy kanałami i rzeką. I całe szczęście, bo dżungle Kho Kensit to trudny teren.

– Jeśli zostawimy tu kukły i resztę bagażu, będziemy mogli podróżować szybciej – podpowiedziała Abeke.

– Popieram ten pomysł – odezwał się Conor, który miał już serdecznie dosyć targania na plecach ciężkiego zwoju płótna. – Możemy się wymknąć tylnym wyjściem. Zanim ktokolwiek się zorientuje, będziemy daleko stąd.

– Taki właśnie jest mój plan – oznajmił Rollan z chełpliwym uśmiechem. – Mówiłem wam, że nie będziemy musieli dawać przedstawienia.

Opróżnili plecaki i tobołki, a lalki zostawili pod brudną ścianą gospody. Wykorzystując nieuwagę żołnierzy, zajętych śpiewaniem szczególnie sprośnej piosenki, której refren podejmowali chórem wszyscy goście, przekradli się do kuchni, po czym wymknęli się przez wejście dla służby i tylną bramę.

Znaleźli się w zaułku pełnym pustych beczek, potłuczonych garnków i innych śmieci.

– A nie mówiłem? Łatwizna! – odezwał się Rollan, nie przestając się uśmiechać.

– Mieliśmy szczęście – powiedział ostrzegawczym tonem Tarik. – Myślę, że oberżysta miał rację. Jego weseli goście narobią mu kłopotów dziś w nocy.

– Zwłaszcza że nie będzie obiecanego widowiska... – dodał Conor. – Trochę mi żal biednego Bowzenga.

– Hej, nie zapominaj, że robimy tylko to, co konieczne dla dobra misji – upomniał go Rollan. – W każdym razie większość z nas stara się to robić.

– Co to ma znaczyć? – najeżył się Conor.

– To, co słyszałeś – odparował Rollan.

– Dobrze wiem, że pijesz do mnie... – ciągnął Conor.

– Rollan ma rację – przerwała mu Abeke, ale jednocześnie spojrzała na niego przepraszająco. – Przynajmniej do pewnego stopnia. Łowca lwów powinien uważać, żeby samemu nie stać się lwem.

– Co to znaczy? – zdziwił się Rollan.

– To stare przysłowie z mojej rodzinnej wioski. Oznacza tyle, że człowiek może się stać tym, z czym walczy. Jeśli nie zachowuje ostrożności.

– A kto tu nie zachowuje ostrożności? Przecież jesteśmy już bezpieczni, nie? – odparł Rollan.

– Jeszcze nie – przestrzegł Tarik. – Czeka na nas barka, ale kanał biegnie wzdłuż ulicy, a potem w dół wzgórza. Bez kukieł i tobołków będziemy zwracali na siebie uwagę. Rollan wychował się w Concorbie, więc życie nauczyło go sztuczek, które przydają się w mieście. Za to Conor dorastał w niedużym miasteczku, gdzie ludzie byli tacy sami jak tutaj, dlatego postanowił udowodnić koledze, że też może się wykazać sprytem.

– Weźcie z sobą coś, co mogłoby uchodzić za ładunek niesiony na barkę – powiedział, wskazując rozrzucone wokół śmieci.

Sam sięgnął po niedużą baryłkę. Rollan wziął dzban po winie ryżowym, a Abeke – worek, który zarzuciła na plecy tak, żeby ukryć ziejącą w nim dziurę. Tarik wybrał skrzynkę, włożył do niej swój plecak, a następnie postawił ją sobie na ramieniu i przytrzymywał ręką.

Już mieli ruszać w drogę, żeby dotrzeć do kanału, gdy od strony tylnej bramy prowadzącej do gospody doszedł ich czyjś bełkotliwy głos:

– A wy dzie? Widofisko miało byś!

Był to jeden ze Zdobywców, którzy zatrzymali się Pod Jasnym Księżycem. Wyjątkowo potężny mężczyzna. Stał w drzwiach kuchennych i mierzył ich nieprzyjaznym wzrokiem.

Rollan, Abeke i Conor nie potrzebowali uzgadniać taktyki, nie musieli nawet wymieniać spojrzeń – zadziałali jak jeden organizm. Conor przesunął się w bok i cisnął baryłkę pod nogi żołnierza, który natychmiast stracił równowagę. Abeke otworzyła worek i zarzuciła go wojakowi na głowę, dzięki czemu stłumiła jego wrzaski. Na koniec Rollan rąbnął go w czaszkę swoim dzbanem, a wtedy nieprzytomny mężczyzna runął na ziemię.

– Dobra robota! – pochwalił ich Tarik.

Troje młodych towarzyszy spojrzało na siebie ze zdziwieniem. Rollan zatrzymał wzrok na Conorze i uśmiechnął się przyjaźnie. Przez chwilę Conor czuł się tak, jakby ktoś zdjął mu z serca wielki ciężar, więc niepewnie odwzajemnił uśmiech kolegi. Zaraz jednak Rollan przypomniał sobie o czymś i ściągnął brwi. W tej samej chwili uśmiech zniknął również z twarzy Conora i pojawił się na niej wyraz skupienia. To nie był odpowiedni czas na radość i gratulacje, bo z gospody dochodziły coraz głośniejsze okrzyki.

Wybrali nowy worek, baryłkę i dzban, a potem wszyscy razem puścili się pędem ku wyjściu z zaułka.

Tymczasem drzwi za ich plecami otworzyły się z hukiem.

– Hej! – zabrzmiał czyjś głos.

– Tędy! – nakazał Tarik, skręcając w lewo, w wąską i ciemną alejkę.

Conor słyszał, jak w oddali za nimi coś się łamie i pęka, ale nie spojrzał za siebie. Złowił uchem ciężkie kroki ścigających, więc doskonale rozumiał, że musi się skupić na ucieczce.

Ktoś zagwizdał dwa razy i wtem u wylotu alejki pojawiło się kilku Zdobywców, zapewne przyzwanych tym sygnałem na pomoc.

– Tutaj! – zawołał Tarik i przemknął pod niską bramą. Znaleźli się na małym placu pełnym świń. Pędząc po śliskim bruku, z trudem je wymijali.

– Z drogi! Z drogi! – krzyczał Tarik, uderzając świnie po zadach.

Wpadli w następny zaułek. Tym razem Conor obejrzał się przez ramię, żeby sprawdzić, jak daleko jest pościg. Dwóch Zdobywców już deptało im po piętach. Na szczęście jeden wpadł na świnię i się przewrócił, drugi zaś poślizgnął się na bruku i wylądował obok kolegi.

Conor wyszczerzył zęby w uśmiechu i znowu spojrzał przed siebie. Cała czwórka co tchu mknęła uliczką, zagrzewana okrzykami Tarika do jeszcze większego wysiłku.

Raptem uśmiech zniknął z twarzy Conora, a zastąpił go grymas paniki, bo zza drzwi po prawej stronie wyskoczył jeszcze jeden Zdobywca i wyciągnął wielką łapę, żeby go złapać za włosy.

– Mam cię! – warknął przy tym.

Conor zgarbił się, dzięki czemu uniknął schwytania, i rzucił baryłkę, celując w głowę żołnierza. Ponieważ przeciwnik odgrodził Conora od towarzyszy, ten bez zastanowienia obrócił się i najszybciej jak potrafił pobiegł w przeciwną stronę. Zdobywca zaryczał wściekle i ruszył za nim. Krok miał ciężki, ale był zatrważająco szybki.

Wszystko działo się tak prędko, że nie było czasu na myślenie. Serce waliło Conorowi jak młot. U wylotu zaułka skręcił w prawo. Znowu znalazł się w pobliżu murów miasta. Zewsząd otaczali go ludzie. Wymijał ich w pędzie, ale słyszał, że Zdobywca jest tuż za nim, że z wściekłością roztrąca na boki krzyczących przechodniów. Conor już niemal czuł na karku oddech ścigającego. Napiął mięśnie ramion w oczekiwaniu na cios, a może nawet pchnięcie nożem...

Wtem zastąpili mu drogę dwaj inni Zdobywcy z bronią. Ich zwierzoduchy, kot i jaszczur, zasyczały z ekscytacji. Conor miał świadomość, że w pojedynkę nie ma z nimi szans. Musiał uciekać, tylko którędy i dokąd? Wszędzie wokół niego były ściany, żadnej kryjówki, żadnej uliczki, a jedynie rudery otaczające mury Xin Kao Dai.

Coś przyszło mu do głowy. Przecież te nędzne chaty nie zostały zbudowane z kamienia. Ich ściany były cienkie jak papier, można było przebić je w biegu. Oprócz tego baraki nie miały drzwi, tylko zasłony z tkaniny. Conor podniósł więc jedną z nich i wpadł do środka.

W pomieszczeniu, na ziemi siedział młody mężczyzna, mieszając w glinianym garnku nad wątłym płomieniem jakąś wodnistą kaszę. Zdumiony, spojrzał na intruza.

– Przepraszam – wydyszał Conor i wbiegł do następnej chatynki

Za sobą słyszał odgłos rozdzieranych ścian.

Przystanął na sekundę, żeby złapać oddech, i oczami szeroko otwartymi ze zdenerwowania zaczął się rozglądać za jakimś wyjściem.

Wtem poczuł na dłoni dotyk czyjejś drobnej rączki. Spojrzał w dół i zobaczył małą dziewczynkę, która go pociągnęła z całej siły, żeby wskazać mu drogę. Starsza kobieta stojąca za dzieckiem niecierpliwymi gestami nakazywała im uciekać.

Dziewczynka znowu szarpnęła Conora za rękę. Okrzyki i odgłos darcia ścian stawały się coraz głośniejsze, więc chłopak pozwolił dziecku poprowadzić się przez labirynt ruder. Mała przewodniczka wiodła go tunelami z tkaniny i papieru, prowadzącymi w głąb dzielnicy biedoty. Sam nigdy nie znalazłby drogi w tej plątaninie przejść i ścieżek. Choć zewsząd obserwowali go ubodzy mieszkańcy tego miejsca, nikt nie wykonał żadnego ruchu, żeby go zatrzymać.

Rumor, który wywoływali ścigający go Zdobywcy, zaczął się oddalać, mimo to dziewczynka nie puszczała ręki Conora, aż dotarli na skraj zabudowań. Tam ostrożnie odchyliła zasłonę z burej tkaniny. Światło, które wpadło do wnętrza chaty, było oślepiające. Conor musiał zamrugać parę razy, zanim zrozumiał, co ma przed oczami.

Stał nad kanałem, przy którego nabrzeżu cumowała długa barka, załadowana pakunkami. Obok ładunku zaś czekali jego przyjaciele. Na ich twarzach malowało się napięcie. Abeke cały czas wpatrywała się w wylot ulicy z nadzieją, że zaraz zobaczy tam kolegę, który się zgubił podczas ucieczki. Jednak najbardziej zmartwiony wydawał się Rollan, choć Conor nie miał pewności, czy nie był on po prostu zirytowany.

– Dziękuję – powiedział, odwracając się do swojej małej przewodniczki.

Żałował, że nie miał przy sobie pieniędzy, ale dziewczynka nie czekała na zapłatę za pomoc. Uśmiechnęła się tylko na pożegnanie, a potem obróciła się na pięcie i zniknęła wśród cieni.

Conor zrobił krok do przodu i zalało go jasne światło dnia. Pomachał ręką do towarzyszy i szybkim krokiem pokonał ulicę. Już po chwili był wraz z drużyną na barce, która miała ich zabrać do dżungli, Dinesha i talizmanu Łupkowego Słonia.

6

XUE

Kiedy nadeszła noc, pojawiły się szczury zwabione kwiatami bambusa. Meilin odpędzała gryzonie kopniakami, ale była tak osłabiona, że zwierzęta nie uważały jej za zagrożenie, nie bały się jej ataków – nawet uderzeń kostura – i zaraz ponownie wracały. W żołądku czuła bolesną pustkę, a wyschnięte gardło dokuczało jej tak, jakby połknęła ciernistą gałąź. Jej kończyny były ociężałe i nieposłuszne, jakby należały do kogoś innego. Ogarniały ją coraz większe znużenie i rozpacz. Zastanawiała się, ile czasu minie, zanim gryzonie ją zaatakują i zrobią sobie z niej ucztę.

Straciła rachubę dni. Znów znalazła się na skrzyżowaniu ścieżek Bambusowego Labiryntu. Rozstaje wyglądały tak samo jak wszystkie poprzednie. Kompletnie nic nie wskazywało na to, która z dróg może prowadzić ku wolności, ku wodzie lub jakiemukolwiek pożywieniu. Meilin stosowała różne strategie, żeby znaleźć wyjście z lasu bambusów, ale wszystkie jej rozpaczliwe wysiłki spełzły na niczym.

Jhi usiadła ciężko na zadzie i pociągnęła w dół swoją towarzyszkę.

Meilin się zawahała, zaraz jednak przestała się opierać i opadła na ziemię, prawie przewracając się na ścieżkę pokrytą warstwą kwiatów. Nie miała już sił, żeby dłużej przeciwstawiać się zwierzoduchowi.

Panda uniosła łapę do ucha i bardzo powoli przekręciła łeb w jedną, a potem w drugą stronę.

– Mam słuchać? O to ci chodzi? – zapytała Meilin. – Słuchać czego? – Ściągnęła brwi, ale zaczęła nasłuchiwać.

Z początku dochodził do niej tylko cichy szelest liści bambusów, poruszanych wiatrem wiejącym w górze. Powiew nie docierał na dół, do ścieżek, gdzie powietrze było stale nieruchome, duszne i aż gęste od wilgoci. Słyszała też wszędzie wokół popiskiwanie szczurów i szmer wywoływany przez biegające gryzonie, które ciągnęły do lasu coraz liczniej. Ona od kilku dni głodowała, a zwierzęta ucztowały – kwiatów bambusa było dużo więcej, niż byłyby w stanie zjeść.

Jhi oparła się lekko o jej bok i wtedy Meilin poczuła, jak opuszczają ją gniew i frustracja. Uświadomiła sobie, że oddycha w tym samym rytmie co panda, że dzięki więzi ze zwierzoduchem jej serce napełnia się spokojem.

Nie potrafiłaby powiedzieć, jak długo siedziała bez ruchu i nasłuchiwała. Kiedy w końcu Jhi dźwignęła się z ziemi, wokoło zapadła już noc. Jakiś samotny szczur podgryzał lewy but Meilin, więc machnęła kosturem i gryzoń umknął w pośpiechu.

W labiryncie panowały kompletne ciemności. Wysokie łodygi bambusa przesłaniały nawet światło gwiazd. Meilin nie widziała zupełnie nic, nawet własnej dłoni, którą podsunęła na wysokość oczu. Podniosła się, przytrzymując się futra na karku Jhi. Pomimo mroku, odgłosów harcujących szczurów i nieustannych skurczów pustego żołądka nadal odczuwała spokój. Stały tak razem, Wielka Bestia i ona, zastygłe niby posągi. I wtedy puls Meilin nagle przyśpieszył, bo do jej uszu dotarł jakiś nowy, nikły i odległy dźwięk, który z pewnością nie pochodził ze świata natury. Był to metaliczny odgłos przypominający szczęk widelca na cynowym talerzu.

– Ktoś jest w pobliżu – szepnęła do Jhi.

Panda drgnęła i zaczęła sunąć przed siebie, ale dziewczyna ją przytrzymała.

– Dokąd idziesz?

Jhi przystanęła tylko po to, żeby Meilin mogła mocniej się jej chwycić, po czym znowu ruszyła. Dziewczyna szła tuż za nią w całkowitej ciemności. Ufała, że jej zwierzoduch znajdzie drogę.

Podążając przez gęsty, czarny mrok, poczuła się w pewien dziwny sposób wolna. Nie widziała bambusowych ścian labiryntu ani skrzyżowań ścieżek, więc nie obawiała się, że podejmie złą decyzję.

Zamknęła oczy i całkowicie zdała się na Jhi. Gdyby taka sytuacja zdarzyła się dzień wcześniej, zapewne nakrzyczałaby na pandę, bo chciałaby wiedzieć, dokąd jest prowadzona. Ale nie tej nocy. Teraz zachowała spokój i szła ufnie za swoim zwierzoduchem, ani na chwilę nie otwierając oczu.

Jhi zmieniła kierunek marszu. Meilin zachwiała się odrobinę i lekko zawadziła ramieniem o łodygę bambusa.

Z nadejściem nocy powietrze stało się chłodniejsze. Zrobiło się niemal przyjemnie i kojąco. Jedyne, co Meilin musiała teraz robić, to podążać za sunącą pomału pandą.

Nie miała pojęcia, jak długo wędrowały w stronę cichego, metalicznego odgłosu. Poruszały się bardzo wolno. Jhi zatrzymywała się co jakiś czas, sięgała między bambusy, wybierała jakąś łodygę i zjadała liście rosnące na jej szczycie. Za każdym razem obsypywała przy tym Meilin deszczem kwiatów i małych owadów.

Im dłużej szły, tym wyraźniejszy stawał się odgłos. Panda bez wahania wybierała drogę przez labirynt. Meilin zastanawiała się cały czas, co takiego mogło wydawać ten cichy, metaliczny dźwięk. Była pewna, że nigdy wcześniej go nie słyszała w lesie bambusowym. A może słyszała, tylko nie zwróciła na niego uwagi, zbyt pochłonięta szukaniem właściwej drogi w gmatwaninie ścieżek?

W końcu, gdy Jhi znowu lekko skręciła, Meilin zdała sobie sprawę, że przez jej przymknięte powieki przebija słaby blask. Otworzyła oczy i zobaczyła przed sobą drgające płomienie obozowego ogniska. Nad ogniem stał podróżny kociołek, wsparty na żelaznym trójnogu. Jakaś mała, przygarbiona postać mieszała w garze długą, metalową chochlą. To właśnie chochla wydawała ów odgłos – nie głośne pobrzękiwanie, tylko cichutkie drapanie po wewnętrznych ściankach naczynia.

Kiedy Meilin podeszła bliżej, dostrzegła, że postać przy ognisku to drobna, siwowłosa staruszka, otulona ciemnym płaszczem. Nieco dalej stał oparty o bambusy wysoki tobołek pełen patelni, garnków, rondelków, łyżek i noży. Kolorowy pakunek przypominał przenośną kuchnię.

Choć Meilin nie miała pojęcia, co też gotowało się w kociołku, unoszący się z niego zapach wydawał jej się cudowny i kuszący. Głód, o którym zapomniała podczas długiego marszu za Jhi, powrócił nagle ze zdwojoną mocą. Poczuła taki ból, jakby ktoś uderzył ją z całych sił pięścią w żołądek. Tylko resztki godności nie pozwoliły jej osunąć się bezwładnie na ziemię.

– Witaj, matko – zaskrzeczała uprzejmie przez zaschnięte gardło, uświadamiając sobie jednocześnie, że charkot, który z siebie wydała, ledwo przypominał ludzki głos. – Czy… czy znajdziesz odrobinę jedzenia i wody dla zagubionego wędrowca? Mam pieniądze, mogę zapłacić…

Staruszka odwróciła się przez ramię i w migotliwym świetle ogniska obrzuciła Meilin przeszywającym spojrzeniem czarnych oczu. Nie wyglądała na zaskoczoną. Z uwagą przyjrzała się również pandzie.

– Zapłacić? – powtórzyła. – Nie trzeba zapłaty za pomoc zagubionemu wędrowcowi. Nie należy też o zapłatę prosić. Podejdź bliżej. Podzielę się z tobą ciepłem ognia, jedzeniem i wodą.

– Dziękuję – wyszeptała Meilin.

Osłabienie w połączeniu z uczuciem ulgi sprawiły, że niemal ugięły się pod nią kolana, dlatego ostrożnie usiadła obok staruszki.

– Mam na imię Meilin, a to jest...

– Jhi – przerwała jej staruszka, po czym podała jej maleńką, pięknie zdobioną porcelanową czarkę i napełniła ją zimną, krystalicznie czystą wodą z bukłaka. – Dotarły do mnie plotki o powrocie Wielkich Bestii. Mam na imię Xue.

Meilin prawie jej nie słyszała. W świetle ogniska woda wyglądała niemal jak jakaś magiczna mikstura. Była przejrzysta, a czerwono-żółty blask płomieni załamywał się w niej niczym w krysztale. Uniosła czarkę do ust, zwalczając instynktowną chęć wypicia całej jej zawartości jednym haustem. Wiedziała, że łapczywość skończy się chorobą, dlatego sączyła wodę małymi łyczkami i pozwalała, żeby płyn powoli spływał do gardła. Prawie się rozpłakała, gdy poczuła, jak w jej ciało na powrót wstępuje życie. Być może woda naprawdę była magiczna. Smakowała lepiej niż najświetniejszy dworski kordiał.

Gdy opróżniła czarkę, uniosła ją w drżących dłoniach z niemą prośbą o jeszcze odrobinę płynu. Xue nalewała jej wody trzy razy i dopiero wtedy Meilin uznała, że na razie wystarczy.

– Chciałabyś spróbować mojego gulaszu? – zapytała po chwili Xue.

– Tak, poproszę. Wspaniale pachnie. Co w nim jest?

– Szczurze mięso z pędami bambusa. W tym lesie nie ma nic innego do jedzenia. Zostały tylko szczury, tysiące szczurów pożerających kwiaty bambusa.

– Och… – westchnęła Meilin, zaskoczona składnikami, z których zrobiona była potrawa. Zaraz jednak odzyskała rezon. – Chętnie skosztuję gulaszu, pani Xue.

– Wystarczy po prostu Xue – poprawiła ją staruszka. Pochyliła się nad tobołkiem i z kieszeni wyściełanej jakąś miękką tkaniną wyjęła piękną miskę z porcelany oraz łyżkę z tego samego kompletu. Nałożyła do naczynia skromną porcję gulaszu i podała je Meilin.

Kiedy dziewczyna zaczerpnęła potrawki i uniosła jedzenie do ust, do jej miski wpadł kwiat bambusa. Xue wyciągnęła rękę i wyjęła roślinę za pomocą ostro zakończonych pałeczek, które musiała mieć schowane w rękawie. Ruch staruszki był tak szybki, że Meilin niemal go nie zauważyła.

– Kiedy bambus umiera, zdobi swój grób kwiatami – przerwała ciszę Xue. – Już od dawna nie było potrzeby, żeby od nowa sadzić ten las.

– A kto to zrobi? – zapytała Meilin z goryczą. – Pożeracz z armią Zdobywców podbił Zhong. Mur został pokonany, a gdy umrze Bambusowy Labirynt, zabraknie nawet tej ostatniej ochrony.

– Nie wszystko stracone – odparła kobieta. – Żołnierze Pożeracza są niczym twarda skorupka na zapiekanym ryżu, łatwo się przez nich przedrzeć. Poza tym w Zhong nadal działa ruch oporu.

– Wiesz, gdzie można znaleźć ludzi, którzy pozostali wierni cesarzowi? Wrogów Pożeracza? – zapytała Meilin z ożywieniem. Uczucie błogości, które ją ogarnęło po napełnieniu żołądka, wcale nie osłabiło jej determinacji. – Chcę się do nich przyłączyć, po to tu przybyłam! Muszę im pomóc! Gdzie ich szukać?

Xue spojrzała na Jhi, która z zadowoleniem przeżuwała właśnie pęd bambusa. Panda zastrzygła uszami.

– Niedaleko stąd jest obóz. Wewnątrz labiryntu zawsze istniały ukryte fortece. Członkowie ruchu oporu zebrali się w Forcie Południowym.

– W Forcie Południowym? – powtórzyła z niedowierzaniem Meilin. – Ale ja... weszłam do lasu północnym wejściem i...

– To niemożliwe. Nie zdołałabyś pokonać takiej odległości. Musiałaś wejść od południa.

Dziewczyna popatrzyła na staruszkę z osłupieniem.

– Nic dziwnego, że się zgubiłam – stwierdziła w końcu. – Szłam według wskazówek dotyczących innej części labiryntu!

– Masz szczęście, że towarzyszyła ci Jhi – zauważyła Xue. – Żadna panda nie zgubi się w lesie bambusowym. Nawet w takim, który jest labiryntem.

– To prawda – przyznała Meilin. – Choć z początku nie chciałam jej słuchać...

– Gdy zapada cisza, nastaje czas medytacji – odparła staruszka. – Skończ gulasz i idź spać. Rano zaprowadzę cię do Fortu Południowego.

– Dziękuję. Ja… bez twojej pomocy nie wiedziałabym, co zrobić.

– Masz przecież Jhi – przypomniała Xue, jakby nie rozumiała, co dziewczyna ma na myśli.

– Tak. – Meilin odwróciła się w stronę pandy, która naginała do siebie kolejną łodygę bambusa. – Dziękuję ci, Jhi – wyszeptała.

Panda nie przestała zrywać zielonych pędów, ale Meilin miała dziwne wrażenie, jakby między nią a zwierzoduchem przepłynęło ciepło. Poczuła się tak, jakby Jhi przytuliła ją w myślach. Uśmiechnięta położyła się obok niej i natychmiast zasnęła.

7

DWA TYGRYSY

Nie podoba mi się ta dżungla – wyburczał Rollan. – Tęsknię za miastem.

– Naprawdę? – zapytała zaskoczona Abeke. – Oczywiście i ja wolę moje rodzinne strony. Nie jest tam tak wilgotno i mgliście. Ale i tak podoba mi się tu bardziej niż w jakimkolwiek mieście. Uraza też jest zadowolona.

Od ucieczki z Xin Kao Dai minęły dwa dni. Troje członków drużyny siedziało na dziobie całkiem wygodnej barki rzecznej, która nieśpiesznie zmierzała do celu. Przed słońcem, owadami rojącymi się w całej dżungli oraz wzrokiem ciekawskich osłaniał ich przewiewny baldachim. Błękitnooki Briggan przysiadł obok Conora i podejrzliwie obserwował brzeg rzeki porośnięty dżunglą. Z kolei Uraza wyciągnęła się częściowo na kolanach Abeke, częściowo zaś na worku z przyprawami, jakich wiele leżało poukładanych w stosy na pokładzie barki. Essix jak zwykle szybowała gdzieś wysoko.

– Nie mogę się doczekać, żeby zejść na ląd – powiedziała Abeke. – Ostatnio stanowczo zbyt dużo pływaliśmy na łodziach.

– Duma Telluna nie była zła – stwierdził Rollan. – Szczerze mówiąc, myślałem, że podróż morska da nam się we znaki dużo bardziej.

– Już kiedyś pokonałam wielką wodę na żaglowcu – wspomniała Abeke z zadumą w głosie. – Kiedy opuściłam dom w Nilo.

– W towarzystwie wroga... – zaczął Conor.

– Tak – potwierdziła cicho Abeke. – Tylko wtedy nie wiedziałam, że to wróg...

Briggan drgnął i zastrzygł uszami. Uraza uniosła głowę i zaczęła poruszać nosem, węsząc w powietrzu. W górze głośno zaskrzeczała Essix i nie był to jej zwyczajny, łowiecki krzyk.

Troje młodych towarzyszy utkwiło wzrok w oddali. Barka zbliżała się właśnie do zwężenia rzeki, którą porastały na tym odcinku gęste szuwary, tworzące na wodzie trzcinowe wyspy. Gdzieniegdzie zarośla były tak wybujałe, że mogliby się wśród nich ukryć bandyci albo piraci rzeczni na łodziach.

Abeke sięgnęła po swój łuk, szybko założyła pętelkę cięciwy na zaczep łęczyska i wyjęła strzałę. Conor podniósł z pokładu swój topór. Rollan jedną ręką złapał nóż, drugą zaś odsunął zasłonę baldachimu. Za to dwaj majtkowie, siedzący na rufie, nie wyglądali na zaniepokojonych. Jeden z nich trymował żagiel, drugi trzymał masywny rumpel.

– Nie widać żadnych kłopotów – powiedziała Abeke, przepatrując gęstą roślinność na obu brzegach.

Conor opuścił dziób, przeszedł pomiędzy pakunkami i zajrzał do kabiny mieszczącej się pod pokładem.

– Tarik! – zawołał.

W tej samej chwili Briggan zawarczał, podniósł się na łapy i zjeżył sierść. Naprężony jak struna wypatrywał niebezpieczeństwa, które wyczuł węchem. Uraza wskoczyła na pakę przypraw, rzuconą tuż przy dziobowej części burty, wbiła spojrzenie w brzeg rzeki i zaczęła niespokojnie wywijać ogonem.

– Co się dzieje? – zapytała Abeke, wyczuwając napięcie lamparcicy. Wszystkie włoski na karku i rękach stanęły jej dęba.

– Essix też wykryła coś podejrzanego – rzucił Rollan. – Choć nie mam pojęcia, co konkretnie.

– Myślicie, że w tych trzcinach mogą się czaić nasi wrogowie? – zapytał nerwowo Conor.

Abeke spojrzała we wskazanym przez niego kierunku. Barka miała za chwilę przepłynąć tuż obok sporej wysepki z sitowia. Rośliny rosły bardzo gęsto, więc stanowiły idealną kryjówkę dla kogoś, kto chciałby przypuścić atak z zasadzki.

– Jasne, że mogą tam się czaić – odparł Rollan, nadal przytrzymując zasłonę, za którą z głośnym bzyczeniem latała chmara owadów, spłoszonych ruchem baldachimu.

Nagle trzciny się rozsunęły. Rozległ się ogłuszający ryk, a zaraz potem jakiś ciemny kształt wyskoczył z szuwarów i jednym susem, szybkim jak błyskawica, dostał się na barkę. Trójka towarzyszy stanęła oko w oko z ogromnym tygrysem. Jego futro miało kolor węgla drzewnego z ciemniejszymi, czarnymi jak noc paskami.

Zwierzę wylądowało na pakunkach z przyprawami i spróbowało chwycić pyskiem głowę Abeke. Dziewczyna zdołała umknąć, ale upuściła łuk. Wtedy Uraza rzuciła się bez wahania, żeby bronić swojej partnerki, choć atakujący tygrys był znacznie od niej większy.

Dwa dzikie koty zaczęły wymieniać ciosy pazurzastych łap, skacząc przy tym po stosach pakunków z przyprawami. Briggan usiłował dosięgnąć zębami ogona tygrysa. Essix krążyła nisko nad barką, wściekle bijąc powietrze skrzydłami i jazgocząc świdrująco. Wokół zapanował ogłuszający rwetes.

Rollan i Conor stali po przeciwnych stronach pokładu – jeden po prawej, drugi po lewej burcie – z bronią w pogotowiu, ale starcie olbrzymich drapieżników było tak szybkie i zajadłe, że nie śmieli się wtrącać. Dwa wielkie koty błyskawicznie i pewnie przeskakiwały między paczkami z ładunkiem, co chwila rzucając się do ataku, a każdemu ugryzieniu i uderzeniu łap towarzyszyły dzikie ryki obu zwierząt. Większość ciosów nie sięgała skóry, aż w końcu Uraza trafiła tygrysa w ucho, naznaczając je głęboką szramą.

Abeke dopingowała lamparcicę okrzykami, ale zamilkła i zamarła z przerażeniem w oczach, w chwili gdy Uraza nie zdołała uniknąć podstępnego ciosu. Na jej boku pojawiło się pięć krwawych krech, rozoranych tygrysimi pazurami.

Briggan wył dziko, rzucając się nerwowo po pokładzie, bo nie potrafił się dostać na sterty worków z przyprawami, gdzie toczyła się walka.

Abeke podniosła łuk, założyła strzałę na cięciwę i ją napięła. Jednak koty poruszały się tak prędko, że nie była w stanie wycelować. Chwilę później dołączył do niej Tarik, który wreszcie wybiegł z kabiny z mieczem w ręku.

– To czyjś zwierzoduch – powiedział. – Chyba stracił rozum!

– Musimy pomóc Urazie! – krzyknęła z rozpaczą Abeke, bo tygrys przewyższał lamparcicę rozmiarami i siłą, a jedynym atutem Urazy była szybkość.

Kolejny raz szczęki tygrysa zamknęły się ze zgrzytem tuż obok gardła kocicy. Uratował ją rozpaczliwy unik.

– Sieć! – zawołał Conor. – Przyniosę sieć na ryby!

Pobiegł wzdłuż burty, w ostatniej chwili wymijając worek z przyprawami, który strąciło któreś z walczących zwierząt. Członkowie załogi używali do podbierania ryb sieci umocowanych na długich trzonkach. Gdyby Conor znalazł choć jedną, być może udałoby im się unieruchomić tygrysa na tyle długo, żeby go związać albo – w ostateczności – zabić.

Zanim jednak to się stało, w szuwarach rozległ się następny ryk i nad głowami członków drużyny przeskoczył biały tygrys, który wylądował między walczącymi zwierzoduchami.

– Nie! – wykrzyknęła Abeke, przekonana, że Uraza nie będzie miała najmniejszych szans w starciu z dwoma drapieżnikami.

Gorączkowo wyczekiwała okazji do strzału, w końcu jednak opuściła łuk i z ogromnym zdumieniem obserwowała, co się dzieje.

Biały tygrys, który znalazł się pomiędzy lamparcicą a jej przeciwnikiem, bronił Urazy! Uderzeniami łap odganiał czarnego tygrysa, a kiedy ten spróbował go wyminąć, odepchnął go mocno, napierając na niego całym ciałem. Czarny kot się zachwiał – dla wszystkich stało się jasne, że ulegnie w potyczce. Abeke czekała z zapartym tchem, aż biały kot rzuci mu się do gardła.

Ale tygrys o sierści w kolorze kości słoniowej nie zadał ciosu i dopiero wtedy Abeke sobie uświadomiła, że jego pazury cały czas były schowane, a wyraz pyska pozostawał spokojny. Zamiast wojowniczego ryku z jego gardła dobywał się dziwny, wibrujący dźwięk. Nie było to kocie mruczenie, ale nie był to również nieprzyjazny warkot. Abeke nie miała pojęcia, co to może znaczyć.

Mimo wszystko interwencja białego tygrysa przyniosła efekty: czarny tygrys się wycofał i zeskoczył w szuwary z ostatnim gardłowym rykiem, pełnym buntu albo szaleństwa. Jeszcze przez chwilę widać było nad trzcinami koniuszek ciemnego ogona, potem zwierzę zniknęło w dżungli.

– Rety, co to było? – zapytał Rollan, szeroko otwartymi oczami patrząc w ślad za drapieżnikiem.

– To był zwierzoduch mojego brata – odezwał się czyjś dźwięczny głos, dobiegający od strony rufy. – Niestety oszalał z rozpaczy.

Abeke obróciła się w miejscu, uniosła łuk i wycelowała w kobietę, która nie wiadomo kiedy dostała się na ich barkę. Nieznajoma była wysoka i szczupła. Nosiła skórzany strój myśliwski, jej szyję owijał szal z zielonego jedwabiu. Czarne włosy, tu i ówdzie poprzetykane srebrnymi nitkami, miała zaplecione w długi warkocz. Jej twarz była ogorzała, ale Abeke nie potrafiła ocenić, czy z powodu lat spędzonych na świeżym powietrzu, czy raczej z powodu wieku, a może i jednego, i drugiego. Na plecach miała przewieszony krótki łuk z Zhong, u boku zaś nosiła szablę. Wokół jej przemoczonych butów zebrała się kałuża wody.

Kobieta podniosła rękę i krzyknęła:

– Zhosur!

Biały tygrys skoczył w jej stronę, ale zanim ponownie dotknął łapami desek pokładu, zniknął w powietrzu i natychmiast pojawił się na przedramieniu obcej w postaci tatuażu.

Abeke nadal nie opuszczała łuku. Za to Tarik jakby się ocknął i wreszcie zareagował.

– Lishay! – zawołał, ruszając w stronę intruza.

Kiedy mijał Abeke, dziewczyna zobaczyła, że na jego twarzy malował się szeroki, szczery uśmiech. Nigdy dotąd nie widziała, żeby ich mentor tak się cieszył.

Tarik podbiegł do kobiety i ujął jej dłonie.

– Wiele czasu minęło – zaczął mówić. – Zbyt wiele. Co się stało z twoim bratem?

W oczach Lishay pojawił się ból. Najpierw mocno ścisnęła ręce wojownika, a potem odparła:

– Hanzan nie żyje. Zginął dziesięć dni temu w starciu ze Zdobywcami. Sam widziałeś, jak to wpłynęło na Zhamina. Postradał rozum. W furii atakuje wszystkie napotkane zwierzoduchy, bo myśli, że stworzono je Żółcią.

– Utrata partnera to straszne przeżycie. – Tarik pokiwał głową z powagą. – Niejeden oszalał z tego powodu. Dotyczy to zarówno ludzi, jak i zwierzoduchów.

– Zdobywcy za to zapłacą – wycedziła przez zaciśnięte zęby Lishay. – Zapłacą krwią.

– Nie ma powodu do obaw – powiedział uspokajającym tonem Tarik, odwracając się w stronę swoich podopiecznych.

Abeke opuściła wreszcie łuk, a Conor zaczął głaskać Briggana i przemawiać do niego łagodnym głosem, bo wilk nadal był wzburzony.

– Pokonasz wrogów, ale nie będziesz walczyć sama – stwierdził Tarik, odsuwając się od znajomej. Pozwól, że ci przedstawię moich młodych przyjaciół. Oto dzieci, które otrzymały dar ponownego przyzwania na świat Wielkich Bestii.

Kiedy opowiadał w kilku słowach o każdym z członków drużyny, gniew powoli ustępował z serca Lishay. Abeke jednak dostrzegła, że czerwone ślady paznokci kobiety jeszcze nie zniknęły z dłoni wojownika.

– Jest ich tylko troje. – Lishay zmarszczyła czoło. – A gdzie jest ta szlachcianka z Zhong? Gdzie jest Jhi? Byłyby dla nas nieocenionym wsparciem. Zwłaszcza tutaj. Kho Kensit to wprawdzie tylko niewielka, przygraniczna prowincja Zhong, ale jej mieszkańcy oddają cześć Jhi. Gdybyśmy przybyli do nich razem z pandą, tłumnie opowiedzieliby się po naszej stronie. Jestem tego pewna – mówiła z przekonaniem.

– Meilin wyruszyła w drogę nieco wcześniej niż my. Szukała sposobu, aby wspomóc ruch oporu w Zhong – wyjaśnił Tarik.

Conor rzucił mu pytające spojrzenie. Dowódca nie skłamał, ale trójka jego podopiecznych była świadoma, że nie powiedział też całej prawdy.

– Nie wiemy, gdzie Meilin jest w tej chwili – ciągnął spokojnie Tarik. – Przypuszczam, że będzie próbowała pokonać Mur.

– Uda jej się – dodał Rollan. – Ona umie sobie poradzić w każdej sytuacji.

– Mamy nadzieję, że jej się uda – powiedział Conor. – Przykro mi, Lishay. To przeze mnie Meilin odeszła. Gdybym nie oddał...

– Dość – przerwała mu Abeke.

Wszyscy członkowie drużyny doskonale wiedzieli, co chłopak miał na sumieniu i jakie były motywy jego postępowania. Jeśli mieli kontynuować swoją misję, musieli się pogodzić z tym, że talizman Żelaznego Dzika wpadł w ręce nieprzyjaciół, i skupić się na nowych zadaniach.

– Ani Lishay, ani my nie przybyliśmy tu po to, żeby rozpamiętywać stare błędy. Skupmy się lepiej na zdobyciu Łupkowego Słonia. Tylko to się teraz liczy – dokończyła Abeke.

– Masz rację – mruknął Conor. – Przepraszam.

– Przestań przepraszać! – zawołała ze złością Abeke, tracąc właściwy sobie spokój. – Już ci przebaczyliśmy. Prawda, Rollan? Proszę, przestań ciągle przepraszać.

Conor otworzył usta, najprawdopodobniej po to, żeby znowu przeprosić. Zaraz jednak je zamknął i tylko pokiwał głową.

Lishay obserwowała z uwagą tę burzliwą wymianę zdań, ale jej nie skomentowała. Właśnie wtedy Abeke doszła do wniosku, że ją lubi. Za to, że wiedziała, kiedy słowa są zbyteczne.

– Abeke ma rację – odezwał się Tarik. – Naszym zadaniem jest odszukać Dinesha i zdobyć talizman Łupkowego Słonia. I tylko o tym powinniśmy teraz myśleć. Lishay, dotarły do nas wieści, że znalazłaś Dinesha. Wiesz, jak do niego trafić?

– To trochę skomplikowane. Wyjaśnię wam wszystko po drodze. O zmierzchu zejdziemy na ląd. Kilka kilometrów stąd w górę rzeki jest naturalna przystań, w której można zacumować barkę. Nie będziemy tam musieli brodzić w wodzie, narażając się na atak żmijogłowów.

– Żmijogłowów?

– Ostrzegano was chyba, żebyście nie wchodzili do wody ani nawet nie zanurzali w niej samych dłoni? –

zapytała Lishay. – To właśnie z powodu żmijogłowów. To ryby rzeczne. Są długie jak moja ręka i mają bardzo dużo zębów.

– Ale nie potrafią wyskakiwać ponad powierzchnię? – upewnił się Conor.

– Na szczęście nie – odpowiedziała kobieta. – Ale teraz do rzeczy. Musimy się przygotować do wyprawy. Jakie macie ze sobą zapasy?

– Najpierw nam powiedz, dokąd się wybieramy – zaoponował stanowczo Rollan. – I co właściwie jest takie skomplikowane.

Sprzeciw kolegi uświadomił Abeke, że Lishay mówiła im o żmijogłowach tylko po to, żeby uniknąć odpowiedzi na pytanie Tarika. Kobieta coś ukrywała, a Rollan od razu wyczuł jej unik.

Lishay skapitulowała i zaczęła wyjaśniać:

– Jestem prawie pewna, że Dinesh przebywa w Pharsit Nang. To niewielka kraina leżąca w granicach terytorium zamieszkanego przez Tergeshów.

– Kim są ci Tergeshowie? – zapytała Abeke.

– Słyszałem o nich – wtrącił Tarik. – Dziwny to lud. I bardzo niebezpieczny.

– Czy będziemy mogli prowadzić poszukiwania Dinesha na ich terenie? Pozwolą nam wkroczyć na swoje ziemie? – dopytywał Conor.

– Tergeshowie często się przemieszczają – odpowiedziała Lishay. – Przy odrobinie szczęścia nie natkniemy się na nich.

– A jeśli szczęście nam nie dopisze?

– Wówczas ładnie ich poprosimy i będziemy mieli nadzieję, że to wystarczy – odparła Lishay. Choć jej słowa zabrzmiały jak żart, ona sama się nie uśmiechała.

– Nie rozumiem – przyznał Rollan.

– Członkowie tego ludu nazywają siebie Tergeshami, ale wszyscy inni mówią o nich jeźdźcy nosorożców – wyjaśnił ponuro Tarik.

8

DROGA PRZEZ DŻUNGLĘ

Lishay ostrzegała, że wędrówka przez dżunglę nie będzie łatwa. Okazało się, że miała rację. Grupa szła gęsiego wąską ścieżką wijącą się pośród gęstego, wilgotnego poszycia. Gałęzie drzew wisiały nisko nad ziemią, a dodatkowo były obrośnięte grubą warstwą powojów. Z zielonego baldachimu dzikiej roślinności, rozpiętego nad głowami piechurów, sypały się pijawki. Nawet kiedy Essix wypatrzyła szerszą ścieżkę biegnącą w pobliżu, Lishay nie wyraziła zgody, żeby zejść ze szlaku, którym ich prowadziła.

– Wygodniejszymi trasami jeżdżą Tergeshowie – powiedziała. – Tutaj jesteśmy bezpieczniejsi.

– Czegoś tu nie rozumiem – odezwał się Rollan, odklejając od twarzy szeroki, mokry liść. – Czy nosorożce są ich zwierzoduchami?

– Nie, Tergeshowie nie tworzą więzi ze zwierzoduchami. Nawet moc Nektaru im tego nie umożliwia –

wyjaśniła kobieta. – Nikt nie wie, dlaczego tak się dzieje. Być może powodem jest to, że dzieci Tergeshów od małego wychowują się razem z młodymi nosorożcami. Towarzyszą im od chwili, gdy tylko nauczą się z nich nie spadać. Mieszkają z nimi, trenują...

– Auć! – skrzywił się Rollan. – To musi być strasznie niewygodne! Ale myślę, że taki wielki zwierz nie zmieściłby się na ścieżce, którą wypatrzyła Essix. Widziałem kiedyś jednego w cyrku objazdowym. Był ogromny!

– Rzeczywiście nosorożce są duże – potwierdziła Abeke. – Ale widywałam je tylko na sawannach. Nigdy nie spotkałam żadnego na terenie tak gęsto zarośniętym jak tutejsza okolica.

– Nosorożce z Pharsit Nang są inne niż te w twojej ojczyźnie – opowiadała Lishay. – Są od nich mniejsze, szybsze i mają paskudniejsze usposobienie. Bardzo trudno jest je oswoić. Pomyślcie przez chwilę. Chyba wszyscy widzieliście kiedyś dzikie konie, prawda? To teraz wyobraźcie sobie dzikiego nosorożca i zastanówcie się, jak wytrawnym i nieustraszonym trzeba być jeźdźcem, żeby okiełznać takie zwierzę. Dlatego musimy unikać spotkania z nosorożcami. Oraz Tergeshami. Więc trzymajmy się wąskich ścieżek.

– Ja tam byłbym zadowolony, gdybyśmy mogli unikać tych gryzących owadów! – wyburczał Rollan i klepnął się w policzek, po czym spojrzał na swoją dłoń, na której szczątki zmiażdżonego komara mieszały się z jego rozmazaną krwią.

Rollan nienawidził dżungli. Był do tego stopnia zgnębiony wędrówką przez wilgotną i dziką gęstwinę, że czuł się niemal chory.

– Im głębiej w las i im dalej od rzeki, tym mniej tych krwiopijców – odpowiedziała mu Lishay. – Za to więcej pijawek, pająków i kąsających mrówek. Każdego ranka zaglądajcie do butów przed założeniem ich na nogi, a do spania rozwieszajcie hamaki.

– Nie wiem, dlaczego te robale akurat mnie tak sobie upodobały – zrzędził dalej Rollan, zabijając kolejnego owada. – Lećcie sobie gryźć Conora!

– Najwyraźniej twoja krew bardziej im smakuje – odparł rozbawiony kolega.

Rollanowi nie przyszła do głowy żadna cięta riposta. Nie spodziewał się, że Conor zareaguje na zaczepkę. Jednak nie tylko dlatego nic nie odpowiedział. Czuł nieprzyjemne mrowienie w miejscach ugryzień, a do tego miał wrażenie, że policzek, który najbardziej upodobali sobie jego bzyczący dręczyciele, zaczął trochę puchnąć. Choć może mu się tylko wydawało.

– Gdybyśmy wybrali jakiś szerszy szlak, moglibyśmy iść szybciej – zauważyła Abeke.

– To zbyt ryzykowne – powtórzyła Lishay i zatrzymała się na chwilę, żeby ściąć szablą pnącza zagradzające w poprzek ścieżkę.

– Mamy przecież Essix. Wypatrzy nadchodzące nosorożce i uprzedzi nas, żebyśmy zdążyli się ukryć – przekonywał dalej Rollan.

Spośród wszystkich ich zwierzoduchów jedynie Essix i Zhosur nie byli w stanie uśpienia. Nawet Briggan, który zwykle czuł się wśród dzikiej przyrody bardzo dobrze, traktował dżunglę podejrzliwie, prawdopodobnie dlatego, że rośliny tworzyły tu nieprzebyty gąszcz, a powietrze było wilgotne i ciężkie. Abeke trzymała Urazę pod postacią tatuażu, żeby nie doszło do jakiegoś spięcia między nią a białym tygrysem. Choć wydawało się, że koty nie wchodzą sobie w drogę, wolała nie ryzykować. Z kolei zwierzoduch Tarika, Lumeo, albo nie lubił dżungli, albo też był leniwy i wolał podróżować w uśpieniu. Wydry lubiły sobie czasem poleniuchować.

– Uważam, że Rollan ma rację – odezwał się milczący dotąd Tarik. – Lishay, czas ucieka...

– Moim zdaniem ryzyko jest zbyt duże – odparła przewodniczka grupy. – Ale jeśli jesteś innego zdania, ustąpię i poprowadzę was szerszą ścieżką.

Oczy wszystkich zwróciły się ku Tarikowi, który w zadumie zmarszczył czoło.

– W takim razie pójdziemy szybszą i łatwiejszą drogą – postanowił. – Rollan i Essix będą wypatrywać jeźdźców nosorożców. Musimy za wszelką cenę dotrzeć do Dinesha przed Zdobywcami.

– A skąd oni mogą wiedzieć, gdzie go znaleźć? – zdziwiła się Lishay. – Przecież my sami zbieraliśmy informacje i prowadziliśmy poszukiwania przez długie miesiące, a i tak dopiero w ostatnich dniach udało nam się połączyć wskazówki w jedną całość.

– Zdobywcom również pomaga wróżbita, ktoś o umiejętnościach podobnych do tych, jakie posiada Lenori – odparł Tarik. – Siły naszych nieprzyjaciół podporządkowują sobie kolejne obszary Kho Kensit. Poza tym... – zawiesił na chwilę głos. – Mniejsza o to. Na starość zaczynam popadać w paranoję. Wojna ma to do siebie, że potęguje nasze lęki.

Lishay pokiwała głową.

– Zgoda. Jeśli taka jest twoja decyzja, chodźmy dalej szerszym szlakiem – odpowiedziała i dała znak swojemu zwierzoduchowi.

Zhosur wydał z siebie niski pomruk przypominający dudnienie i zszedł ze ścieżki w gęstwinę dżungli. Lishay ruszyła za nim, a reszta grupy podążyła ich śladem.

Gdy tylko zeszli ze szlaku, znów zaczęło padać. Deszcz był wprawdzie ciepły, ale i tak uprzykrzał wędrówkę: dostawał się pod kurtki, zalewał oczy i coraz bardziej psuł wszystkim humor.

– Strasznie tutaj gorąco – poskarżył się Conor. – W moich stronach nawet w środku lata nie ma takiego upału. Owcom by się tu nie spodobało.

– Nikomu by się tu nie spodobało, nie tylko twoim owcom – prychnął Rollan. – Tylko tym utrapionym owadom może być tutaj dobrze.

Ledwie skończył mówić, poślizgnął się na mokrym podłożu, ale przytrzymał się pnia drzewa i zaraz odzyskał równowagę.

– Nic ci nie jest? – spytał Conor.

– Tylko się poślizgnąłem – odburknął z irytacją Rollan, strząsając z ramienia dłoń kolegi. – I upał mi dokucza. Dżungla to nie jest miejsce dla mnie. Wolę miasto. I wolę miejskie robaki.

───── ◆ ─────

Nowym szlakiem szło im się łatwiej. Ścieżka miała ponad dwa metry szerokości, a leśne poszycie zostało na niej dobrze udeptane. Z drzew nie zwisały powoje, nie trzeba więc było się obawiać pijawek spadających na głowę. Deszcz ustał i ukazało się słońce. Nad roślinami schnącymi w jego promieniach zaczęła się unosić para.

– Tak już lepiej – powiedziała z westchnieniem Abeke.

– Zdecydowanie – przyznał Conor.

Rollan nie przyłączył się do chóru zadowolonych głosów. Doskwierało mu ogromne zmęczenie i zmusił się jedynie, żeby kiwnąć głową. Czuł, że powinien o czymś pamiętać, ale nie wiedział o czym. Miało to coś wspólnego z Essix, która latała gdzieś samopas.

– Zhosur mi przekazuje, że przed nami jest spora polana – powiedziała Lishay. – Jest porośnięta jedynie kępami trawy słoniowej, więc będziemy widoczni jak na dłoni. Musimy pokonać ten odkryty teren najszybciej jak się da. Chodźmy.

Ruszyła przodem szybkim tempem myśliwego, a Zhosur trzymał się blisko jej boku. Abeke bez problemu dotrzymywała jej kroku. Tuż za nią był Conor. Wprawdzie nie poruszał się z taką gracją jak koleżanka, która podczas łowów wyćwiczyła się w lekkim i bezszelestnym stąpaniu, ale nadążał bez trudu. Następny szedł Rollan, którego stopy co rusz zaplątywały się w pędy albo zawadzały o wystające korzenie. Zupełnie jakby dżungla złośliwie utrudniała mu marsz. Szyk zamykał Tarik. Często oglądał się przez ramię, żeby sprawdzić, czy z tyłu nie grozi im żadne niebezpieczeństwo. Lumeo przebudziła się z uśpienia i siedziała na ramieniu partnera, obserwując dżunglę równie bacznie, co on.

– Wydaje mi się, że ktoś za nami idzie – wyszeptał do wydry Tarik. – Bądź czujna.

Rollan spojrzał za siebie i znowu prawie się poślizgnął. Nie był pewien, czy las zasnuwał się mgłą, czy też jego oczy zaczęły mu płatać figle. Widział tylko niewyraźny zarys szlaku i zieleń drzew, które tłoczyły się ze wszystkich stron.

Wkrótce dotarli do polany dorównującej rozmiarami głównemu rynkowi w Concorbie. Na granicy z lasem porośnięta była młodymi drzewkami i paprociami, pośrodku zaś – sztywną trawą, o której wspominała Lishay. Źdźbła rośliny sięgały mniej więcej do pasa, ale niektóre kępy były tak wybujałe, że wyrastały ponad głowę Tarika. Rollan doszedł do wniosku, że dziwne zielone wiechcie wcale nie przypominają trawy. Źdźbła były tak wysokie, że kojarzyły się bardziej z klingami mieczy.

Lishay zatrzymała się wśród rzadszej roślinności na skraju dżungli i rozejrzała badawczo. Tymczasem Zhosur obwąchiwał ziemię, poruszając nerwowo ogonem.

– Wyczuł zapach nosorożców – powiedziała cicho kobieta. – Ale nie wiem, czy jest świeży. Rollanie, co widzi Essix?

– Co...? – wybełkotał chłopak. Z całych sił próbował się skupić, ale miał wrażenie, że jego umysł spowija mgła. Nie potrafił zebrać myśli.

– Gdzie jest Essix, Rollan? I co widzi? – powtórzyła pytanie Abeke.

Chłopak spojrzał półprzytomnym wzrokiem w niebo. Nie wyczuwał obecności sokolicy, a kiedy usiłował nawiązać z nią kontakt, informacje, które od niej odbierał, okazały się bardzo niejasne.

– Nie jestem pewien... – wymamrotał, po czym otarł spotniałe czoło i zamrugał. W ustach czuł smak ptasiego mięsa. – Essix chyba coś je. Ale wiem, że gdyby coś nam groziło, toby nas ostrzegła.

– Ścieżka prowadzi dalej tam, pomiędzy tymi dwoma wielkimi drzewami. – Lishay wskazała przeciwny kraniec polany. – Niedaleko stąd znajdują się dwa inne szlaki, jeden biegnie po prawej, drugi po lewej stronie. Miejcie oczy szeroko otwarte. Musimy pokonać ten odcinek najszybciej jak się da. Pobiegniemy razem. Gotowi?

Wszyscy pokiwali głowami. Nikt nie zauważył, że podczas skinienia podbródek Rollana prawie opadł na klatkę piersiową. Chłopak poderwał głowę i znowu wytarł pot z czoła. Próbował sobie wmówić, że wcale nie jest tak zmęczony, jak mu się wydaje. To wszystko przez upał. Na polanie będzie więcej powietrza...

– Zhosur będzie biegł na przedzie – dokończyła cicho Lishay. – Ruszajmy.

Biały tygrys wypadł na polanę, a tuż za nim podążyły Lishay i Abeke. Następni byli Conor i Rollan. Tarik trzymał się w pewnej odległości, zamykając grupę.

W połowie drogi przez otwarty teren Zhosur przystanął raptownie i zaryczał. Jego głos nie przypominał ryku lwa, jaki znała Abeke. Składała się na niego seria gardłowych warknięć.

Na ten dźwięk pośród roślin wszczął się nagły ruch i na łące zaroiło się od nosorożców, które dotąd kryły się w wysokich kępach trawy słoniowej. Na grzbiecie każdego zwierzęcia siedział człowiek. Jeźdźcy, kobiety i mężczyźni, byli drobni, lecz zwinni i krzepcy. Nie używali siodeł ani wodzy. Nosili bawełniane szaty o kroju, który nie krępował ruchów. Wszyscy mieli u pasów długie noże, a prócz tego uzbrojeni byli albo w lance, albo w bambusowe dmuchawki.

Same nosorożce wyglądały tak, jak opisała je Lishay: były mniejsze od tych z Nilo, miały ostrzejsze rogi i mądre, lśniące oczy.

Jeźdźców było co najmniej sześćdziesięciu, więc walka z nimi nie miała sensu. Jedynym ratunkiem pozostawała ucieczka, tylko że drużyna była otoczona...

Pierwszy zareagował Tarik, którego zwierzoduch na szczęście nie przebywał w uśpieniu. Obrócił się w miejscu i ruszył biegiem w stronę najbliższego nosorożca. Wyrzucił Lumeo w powietrze i prześlizgnął się pomiędzy nogami masywnego zwierza, w chwili gdy ten próbował nadziać wydrę na swój róg. Po drugiej stronie podniósł się z ziemi, złapał Lumeo i mocno uderzył nosorożca po zadzie. Zwierzę było tak zaskoczone, że poszło kilka kroków do przodu, robiąc wyrwę w szeregu.

– Za mną! – zawołał Tarik. – Szybko!

Jego podopieczni zareagowali błyskawicznie. Conor przyzwał Briggana, a obok Abeke pojawiła się Uraza. Ale jeźdźcy nosorożców zdołali zamknąć okrążenie, a długie dmuchawki, które podnieśli do ust, nie zapowiadały niczego dobrego.

Nad polaną zaroiło się od maleńkich strzałek. Jednak Tarik i jego towarzysze z drużyny mieli do pomocy zwierzoduchy. Dzięki nim udało im się umknąć przed gradem ostrych pocisków, wyminąć ruchliwe nosorożce i dotrzeć na skraj polany.

Tylko Rollan nie zdołał uciec. Czuł się bardzo chory i zupełnie nie pojmował, co się wokół dzieje. Jedna ze strzałek trafiła go w policzek. Poczuł ukłucie, zupełnie jakby ugryzł go owad. Wyciągnął strzałkę i zaczął się jej przyglądać. Choć mąciły mu się myśli, zastanawiał się, po co ktoś miałby używać takiej maleńkiej, nieskutecznej broni. Dostrzegł, że czubek strzałki pokrywała jakaś ciemna, lepka substancja. Zmarszczył brwi, bo coś mu zaświtało w głowie, ale nadal nic nie rozumiał. Zrozumiał, dopiero gdy usłyszał słowa Lishay, które dochodziły do niego jakby z oddali:

– Uważajcie, strzałki są zatrute! Nie dajcie się trafić!

Jednak zdradliwe pociski były liczne jak krople deszczu i nawet Lishay nie była w stanie przed nimi uciec.

Zanim nogi odmówiły Rollanowi posłuszeństwa, a ziemia uciekła mu spod stóp, zobaczył jeszcze Tarika, który pędził co tchu w stronę ściany lasu. Dowódca biegł szybciej niż zwykły człowiek, a tuż za nim tratowały trawę ścigające go nosorożce.

9

NIEOCZEKIWANE SPOTKANIE

Skąd znasz drogę przez labirynt? – zapytała Meilin, kiedy na kolejnym skrzyżowaniu Xue znowu bez wahania wybrała ścieżkę.

Tobołek kobiety był tak wysoki, że kiedy widziało się go z tyłu, wyglądał jak stos garnków i patelni chodzący na własnych nogach. Każde z metalowych naczyń było niezwykle starannie przywiązane do plecaka, dlatego pojemniki i zastawa nie dzwoniły o siebie podczas wędrówki. Staruszka poruszała się, nie czyniąc żadnego hałasu.

– Mam wprawę – odparła krótko Xue.

– Kiedy dotrzemy do Fortu Południowego? – dopytywała się Meilin.

– Później – padła odpowiedź.

Meilin otworzyła usta, żeby zapytać o szczegóły, ale zaraz je zamknęła. Zdążyła się już przekonać, że Xue odzywała się tylko wtedy, gdy sama tego chciała.

Meilin przystanęła i obejrzała się przez ramię, żeby sprawdzić, czy Jhi nie zatrzymała się po pędy bambusa. Odległość dzieląca ją od zwierzoducha wzrosła do jakichś trzydziestu metrów, ale przynajmniej panda szła naprzód. Ścieżkę przebiegło kilka szczurów, które gromadami przeczesywały labirynt w poszukiwaniu opadłych kwiatów.

Raptem gdzieś z przodu rozległ się odgłos rąbania.

Meilin odwróciła się w stronę, z której dochodził ów dźwięk, a Xue zamarła i zaczęła nasłuchiwać.

Odgłos rąbania zadudnił mocniej. Toporów było wiele, a wycinka odbywała się gdzieś niedaleko. Słychać też było łoskot walących się na ziemię łodyg bambusa.

– Ktoś ścina las – powiedziała Meilin i natychmiast pomyślała, że to Zdobywcy.

– Chodźmy zobaczyć, co się tam dzieje – zdecydowała Xue. – Jeśli tak się zdarzy, że zostaniemy rozdzielone, Jhi zaprowadzi cię do Fortu Południowego. Zna drogę.

– Jhi zna drogę? – zdziwiła się Meilin.

– Kiedy spałaś, wytłumaczyłam jej, jak tam trafić.

Xue zdjęła z ramion ciężki plecak i pieczołowicie ukryła go pomiędzy bambusami. Meilin była pod wrażeniem – jak na staruszkę Xue poruszała się bardzo lekko i zwinnie.

– A teraz ani mru-mru. Musimy się podkraść.

– To nie mogą być członkowie ruchu oporu – odezwała się cicho dziewczyna, której myśli krążyły wokół ojca. – Tylko sługusi Pożeracza karczowaliby labirynt.

Xue pokiwała głową i uciszyła ją gestem.

Meilin była przekonana, że coraz głośniejszy odgłos rąbania zagłuszyłby każdy hałas, mimo to posłusznie zamilkła. Znowu się rozejrzała i z zaskoczeniem stwierdziła, że Jhi nadrobiła odległość i jest zaledwie parę kroków za nią. Nie miała pojęcia, że panda umie tak szybko się poruszać. Zatrzymały się kilka metrów przed kolejnym rozstajem dróg. Odgłosy rąbania jeszcze się nasiliły, od czasu do czasu słychać też było okrzyki komend oraz jakieś inne zawołania. Pracujących przy wyrębie musiały być setki. Xue i Meilin znajdowały się już bardzo blisko miejsca wycinki, więc zaczęły się podkradać z jeszcze większą ostrożnością.

Po kilkunastu metrach ścieżka przeszła w szeroką drogę wykarczowaną w labiryncie. W oddali widać było ludzi z toporami, którzy stali w równym rzędzie zajęci wyrębem. Za nimi druga grupa mężczyzn układała bambusowe łodygi w wielkie stosy, które zapewne miały zostać później spalone. Między robotnikami krążyli żołnierze. Wielu z nich posiadało zwierzoduchy. Chociaż zbrojni, podobnie do napastników z Jano Rion, nie nosili mundurów, Meilin nie miała wątpliwości, kim byli. Oprócz zwykłej broni dzierżyli też w rękach bicze, którymi poganiali co powolniejszych drwali.

— Jeśli nie potrafisz wymyślić rozwiązania problemu, zniszcz go — skomentowała Xue. — To metoda Pożeracza. Musimy... — urwała w pół zdania, a w jej dłoni pojawiły się nagle naostrzone pałeczki do ryżu, które Meilin widziała poprzedniego wieczora.

Staruszka skoczyła ponad ramieniem dziewczyny. Powietrze rozdarł krzyk i na ziemię upadła bez życia zakapturzona postać w masce na twarzy, odziana od stóp do głów w bambusowy odcień zieleni.

Meilin obróciła się na pięcie, uniosła kostur i zablokowała zdradziecki cios drugiego napastnika. Sparowała pchnięcie sztyletem i odpowiedziała mocnym uderzeniem w obojczyk, po którym zamaskowana kobieta upuściła broń i zawyła z bólu, a jej ramię opadło bezwładnie wzdłuż ciała.

Na ścieżkę zeskakiwali jednak kolejni ludzie. Meilin się cofnęła, taksując wzrokiem wrogów i najbliższe kępy bambusa. Jej uwadze nie uszły żelazne kolce wbite w łodygi. Napastnicy musieli czekać w górze, stojąc na tych szpikulcach jak na szczeblach drabiny, gotowi zaatakować każdego, kto się zbliży.

Pośród bambusowej gęstwiny rozległy się przeszywające gwizdy. Ktoś wszczynał alarm.

– Musimy uciekać – stwierdziła staruszka, wskazując okrwawioną pałeczką ścieżkę po prawej stronie, gdzie właśnie wylądowało dwóch kolejnych zabójców. Wśród łodyg kryło się ich jeszcze więcej. – Natychmiast!

Xue i Meilin ruszyły do ataku. Zamigotały pałeczki, zaświstał kostur i dwaj przeciwnicy blokujący im przejście upadli na ziemię. Ich towarzysze, przyczajeni wśród bambusów, okazali się zbyt powolni – zeskoczyli na ziemię już za plecami uciekających Xue i Meilin. Z tyłu jednak została panda, którą od partnerki odgradzało teraz sześciu ludzi.

– Jhi! – zawołała Meilin, unosząc rękę. Nie wiedziała, czy zwierzoduch nie jest za daleko, żeby przejść w stan uśpienia, ale gdyby mu się udało, miałyby szanse uciec...

Jednak panda nie zareagowała na wezwanie. Zamiast tego spokojnie wyrwała z korzeniami jeden z krótszych bambusów, sapnęła i uniosła go wysoko. Potem rozsunęła łapy i pozwoliła, żeby gruba, dziesięciometrowa łodyga opadła prosto na głowy napastników. Ludzie odskoczyli i rozproszyli się, a bambus zadudnił o ziemię.

Jhi znowu podźwignęła łodygę i zamiotła nią nad ścieżką, podcinając przeciwnikom nogi i przewracając ich jak pionki. Kiedy ostatni z wrogów znalazł się na ziemi i jak wszyscy pozostali, jęcząc, zwinął się z bólu, panda odłożyła bambus i nieśpiesznie ruszyła ku Meilin, która przyglądała jej się z otwartymi ustami.

Dziewczyna nie miała jednak wiele czasu, żeby się dziwić. Uzbrojeni strażnicy odpowiedzieli na sygnał alarmu i ponad dwudziestu biegło już w ich kierunku, a przed żołnierzami szarżowały ich zwierzoduchy. Meilin dostrzegła wśród nich koziorożca o rozłożystych rogach wygiętych do tyłu. Była pewna, że widziała to zwierzę już wcześniej, podczas upadku Jano Rion.

– Musimy uciekać – ponagliła ją Xue.

– Ale najpierw trzeba ich spowolnić – odparła Meilin i spojrzała na Jhi oczami przepełnionymi podziwem. – Możesz zablokować ścieżkę bambusami? – spytała.

W odpowiedzi panda złamała najpierw jedną, a potem drugą i trzecią łodygę, a następnie splotła je ze sobą, czym dowiodła nie tylko wielkiej siły, lecz także niezwykłej zręczności. Chwilę później powaliła kolejne bambusy i całkowicie zablokowała przejście.

– Uciekajmy – szepnęła Meilin, a Jhi odpowiedziała jej zrzędliwym pomrukiem.

– Leniuch – rzuciła Xue.

Meilin najpierw nie rozumiała, o co chodzi, potem zaś roześmiała się i uniosła rękę. Jhi zniknęła i zaraz pojawiła się na przedramieniu dziewczyny jako tatuaż.

Biegły bardzo długo, aż odgłosy pościgu i wycinki lasu zostały daleko w tyle. Xue bez wahania wybierała drogę przez labirynt. Po jakimś czasie Meilin zaczęła mieć nadzieję, że jej przewodniczka zatrzyma się na odpoczynek, bo jej samej zaczynało już brakować tchu. Jakim sposobem ta staruszka mogła tak długo biec? I to nawet bez lekkiej zadyszki!

W końcu Xue zwolniła do marszowego kroku.

– Wkrótce dotrzesz do Fortu Południowego. Najpierw skręć w lewo, potem w prawo. A później kieruj się na wprost. Tu się rozstaniemy – powiedziała.

– Zostawiasz mnie? – zapytała zaskoczona Meilin. – Dokąd idziesz?

– Wracam po tobołek – odparła staruszka.

– Po tobołek? Przecież tam są Zdobywcy!

– Ominę ich – stwierdziła Xue, jakby to była najprostsza rzecz w świecie.

– Aha… Miałam nadzieję, że… że pójdziesz ze mną, to znaczy z nami. Widziałam, jak walczysz. Mogłabym się od ciebie wiele nauczyć. Mogłabyś także przyłączyć się do ruchu oporu i stanąć do walki z armią Pożeracza.

– Mam własne sprawy – odparła staruszka. – Ty też radzisz sobie w walce jako tako. Poćwicz jeszcze trochę, a pewnego dnia być może warto będzie cię wziąć na nauki.

Meilin zamrugała ze zdumienia. Przyzwyczaiła się do pochwał, ciągle jej powtarzano, że jest wybitną uczennicą i najlepszą wojowniczką swego pokolenia. Przełknęła jednak słowa Xue bez komentarza. Było w staruszce coś, co budziło szacunek, wręcz się go domagało. I nie chodziło tylko o jej sprawność w posługiwaniu się naostrzonymi pałeczkami ani o jej zadziwiającą zręczność i wytrzymałość...

Meilin w końcu połączyła fakty.

– Czy należysz do Naznaczonych? – zapytała.

Xue się uśmiechnęła, ukazując przy tym spore braki w uzębieniu, potem rozpięła górę jedwabnego kaftana, pod którym miała ukrytą kieszeń. Wyjrzała z niej biała myszka z oczkami maleńkimi jak koraliki. Jej spojrzenie było takie samo jak spojrzenie staruszki: tajemnicze, przenikliwe i łobuzerskie zarazem.

– To Zap – powiedziała Xue.

Zwierzątko zniknęło, a staruszka podwinęła rękaw i pokazała Meilin tatuaż przedstawiający skaczącą mysz.

– Powodzenia, Meilin i Jhi – pożegnała się jeszcze. – Być może pewnego dnia znowu się spotkamy.

Meilin się skłoniła, a kiedy podniosła głowę, Xue już nie było.

Fort Południowy leżał prawie kilometr dalej. Wprawdzie znajdował się w obrębie labiryntu, ale zbudowano go w małej, płytkiej dolince, w której przecinały się liczne ścieżki. Meilin wyszła z cienia bambusowej gęstwiny, rozejrzała się po terenie wykarczowanym do gołej ziemi i objęła wzrokiem skupisko chat stojących za palisadą. Choć dolinę otaczała ze wszystkich stron zwarta ściana bambusów, Meilin się ucieszyła, że przynajmniej na jakiś czas znalazła się poza labiryntem.

– Stać!

Podbiegło do niej trzech zbrojnych w szkarłatnych pancerzach, jakie nosili żołnierze armii Zhong. Jeden miał na ramieniu plecioną opaskę kaprala.

– Nazywam się Meilin, jestem córką...

– Rzuć kostur! Na kolana! – przerwał Meilin kapral.

– Odmawiam. Zaprowadźcie mnie do dowódcy – odparła dziewczyna.

Żołnierz spojrzał na nią wrogo i wyciągnął miecz. To samo zrobili jego podkomendni.

– Mamy rozkaz zabić każdego nieumundurowanego człowieka, który wyjdzie z labiryntu – powiedział ostro kapral. – Na kolana! Zaraz zginiesz!

– Nie bądź głupi! – zganiła go Meilin, choć patrząc w jego świńskie oczka, zorientowała się, że naprawdę nie miał on zbyt wiele rozumu. – Natychmiast wezwij oficera!

98

– Żadna wieśniaczka nie będzie mi mówić, co mam robić! – zaryczał zbrojny. – Klękaj!

– Kapralu, może lepiej… – zaczął jeden z jego żołnierzy, z wyglądu znacznie inteligentniejszy od przełożonego.

– Zamknij się! – ryknął kapral i wycelował w Meilin ostrze miecza. – Na kolana, przybłędo!

– Naprawdę lepiej by było, gdybyś zawołał oficera – westchnęła Meilin, unosząc kostur.

Dobrze wiedziała, co robić. Usunięcie z drogi trzech zbrojnych nie stanowiło dla niej żadnego problemu. Jednak nie zaatakowała, choć jeszcze kilka dni wcześniej bez skrupułów przetrzepałaby całej trójce skórę i dumnym krokiem udała się do fortu, żeby złożyć skargę dowódcy. Teraz jednak trzymała gniew na wodzy i czekała cierpliwie, równie spokojnie jak wtedy, gdy w środku nocy usiadła przy Jhi, żeby wychwycić dziwny odgłos w Bambusowym Labiryncie. Czasami cierpliwość okazywała się najlepszą strategią.

Za to kapral nie był cierpliwy. Ruszył na dziewczynę, zamaszyście tnąc powietrze mieczem. Meilin się uchyliła i wetknęła kostur pomiędzy kolana mężczyzny, a wtedy ten potknął się i upadł, upuszczając broń.

– Na co czekacie? Atakować! – warknął na podkomendnych i zaczął się czołgać, żeby odzyskać miecz.

Jego żołnierze spojrzeli po sobie.

– Do ataku! – zacharczał znowu kapral.

Jednak oni nie usłuchali rozkazu. Ten wyglądający na inteligentniejszego schował swój miecz do pochwy i odczepił od pasa róg. Zadął krótko dwa razy, a głos rogu poniósł się po całej dolince.

Po kilku sekundach od strony fortu zatrąbiono odzew.

– Zaraz przyjdzie patrol z oficerem – poinformował zbrojny. – Jak się nazywasz?

– Jestem Meilin, córka generała Tenga.

Żołnierze niżsi rangą wymienili przerażone spojrzenia i stanęli na baczność, natomiast kapral jęknął głośno, pozbierał się z ziemi i głęboko się skłonił.

– Kto tu dowodzi? – zapytała Meilin.

– Najwyższy generał.

– Jaki generał? – Meilin próbowała odegnać nadzieję, która zaczęła kiełkować w jej sercu.

– Generał Teng, oczywiście. Twój ojciec.

Ulga zalała Meilin niczym fala. A więc jej ojciec żył! Jednak zdołał uciec z Jano Rion!

– Zaprowadźcie mnie do niego natychmiast! – zażądała.

– Jeżeli naprawdę jesteś jego… – zająknął się kapral. – To znaczy naprawdę…

– Tędy, panienko – powiedział jego podwładny, wyciągając dłoń w stronę, z której zbliżał się patrol, czym kolejny raz udowodnił, że potrafi łączyć fakty znacznie szybciej niż inni. – Będzie dla nas zaszczytem osobiście cię eskortować.

Meilin ruszyła za nim, czując przypływ szczęścia. Jej ojciec żył, więc i wszystko inne musiało się ułożyć. Wkrótce znowu będą razem i wspólnie uwolnią Zhong z rąk Zdobywców.

Kiedy po Forcie Południowym rozeszła się wieść, że przybyła córka generała Tenga, sprawy potoczyły się szybko, ale Meilin i tak czas się dłużył. Strażnicy stojący u bramy zasalutowali na jej widok. Eskorta prowadziła ją dalej, nie zatrzymując się nigdzie nawet na chwilę, za co była żołnierzom bardzo wdzięczna.

Jej ojciec czekał na majdanie. Już z oddali rozpoznała tę wysoką postać, jak zwykle odzianą w srebrno-szkarłatny pancerz. Poczuła łzy napływające do oczu. Ledwo udało jej się opanować, żeby nie rzucić się generałowi w ramiona. Nie chciała przecież wprawiać go w zakłopotanie na oczach setek żołnierzy i kilku znanych jej dowódców wyższej rangi, którzy stali obok. Pomyślała, że ojciec wygląda na zmęczonego i jakby niższego. Jego zbroja była zniszczona i pozbawiona oznaczeń stopnia generała.

– Panie generale – powiedział żołnierz z eskorty, zamierając w ukłonie pełnym szacunku.

Teng się odwrócił, dostrzegł córkę i jego oczy rozszerzyły się ze zdumienia.

– Meilin!

– Ojcze.

Dziewczyna zatrzymała się kilka metrów przed generałem i skłoniła nisko.

Zaraz potem usłyszała zbliżające się kroki i w jej polu widzenia ukazały się dwa zabłocone buty. Teng ujął córkę mocno za ramiona i podniósł ją z ukłonu. Spojrzeli sobie w identycznie brązowe oczy i Meilin zobaczyła w oczach ojca miłość zmieszaną z troską. I coś jeszcze... Czy to były łzy? Nie, to niemożliwe!

Przez chwilę myślała, że ojciec ją obejmie, jednak on opuścił ręce i cofnął się nieco.

– Przybyłaś więc – stwierdził. – Z jakiego powodu? Czy jesteś sama?

Meilin miała wrażenie, że w jego głosie słychać lekką przyganę, ale uznała, że jej się wydawało.

– Ojcze, odeszłam od Zielonych Płaszczy, żeby wrócić do Zhong i walczyć – powiedziała. – Musisz wiedzieć, że Zdobywcy wycinają połać labiryntu, żeby otworzyć przejście dla swoich wojsk.

Generał Teng skinął powoli głową i spytał:

– Czy Jhi nadal jest z tobą?

Meilin pokazała swój tatuaż na przedramieniu.

– Nauczyłaś się z nią współpracować i korzystać z jej mocy?

– Dopiero zaczęłam się w tym szkolić, ojcze.

– Dobrze. Napijemy się herbaty i opowiesz mi o swych poczynaniach. Ja też... muszę ci coś powiedzieć.

– Ojcze, a co ze Zdobywcami? – Meilin nie mogła zrozumieć jego zachowania. Czemu nie zaniepokoił się działaniami wroga? – Są już kilkanaście kilometrów stąd. Jest ich bardzo dużo. Co najmniej kilkuset żołnierzy i wielokroć więcej przymusowych robotników – mówiła dalej.

– Wycięcie choćby kilometra drogi przez labirynt zajmie im przynajmniej tydzień – odparł spokojnie Teng. – Generale Chin? – zwrócił się do jednego z dowódców.

Najbliższy z doradców i przyjaciół Tenga zbliżył się i skinął Meilin głową. Jego zbroja była brudna, wyglądała, jakby nie czyszczono jej od wielu dni.

Meilin poczuła ulgę na wieść, że i Chin przeżył inwazję. Jeśli on również ucieszył się na jej widok, nie dał tego po sobie poznać.

– Czy mam wydać rozkaz wymarszu? – zapytał.

– Jeszcze nie, ale rozpocznijcie przygotowania i podwójcie straże na górnych ścieżkach – rozkazał Teng. – Czy istnieje możliwość, że byłaś śledzona, Meilin?

– Jestem pewna, że nie – odparła szybko dziewczyna. – Musiałyśmy stoczyć walkę z zamaskowanymi zabójcami w pobliżu miejsca, gdzie jest prowadzona wycinka lasu, ale udało nam się uciec.

– My...? – zapytał jej ojciec.

– Pomogła mi kobieta o imieniu Xue, jedna z Naznaczonych. Sądzę, że kiedyś należała do Zielonych Płaszczy. Zapewne dawno temu. Jest stara, ale sił jej nie brakuje.

– Znam Xue – odparł generał Teng. – Jest wierna Zhong i sprzyja naszej sprawie. Cieszę się, że ci pomogła, choć jestem też nieco tym zaskoczony. Chodź, porozmawiamy przy herbacie.

– O czym tu rozmawiać, ojcze? – spytała zniecierpliwiona Meilin. – Przybyłam tu po to, żeby walczyć u twojego boku. Powiedz tylko, co mam robić.

– To nie takie proste, Meilin...

– Nie ma nic prostszego!

– Dosyć, Meilin! Nie zapominaj, kim jesteś.

Nagana była jak wymierzony nagle policzek i Meilin poczuła na twarzy ciepło rumieńców. Dobrze wiedziała, kim jest i po co przebyła tak długą drogę. Więc jeśli generał Teng zamierzał zakomunikować, że nie pozwoli jej walczyć ze Zdobywcami, bo nie chce narażać jej życia, będzie musiał powstrzymać ją siłą.

Zanim jednak zdążyła cokolwiek powiedzieć, w dolinie rozległ się donośny dźwięk rogów. Dobiegał z miejsca, w którym wyszła z labiryntu. „Cztery krótkie sygnały – pomyślała Meilin. – Tym razem to nie jest wezwanie patrolu, to alarm".

Zaskoczony generał Chin wciągnął gwałtownie powietrze.

– Nasza baza została odkryta! – wykrzyknął. – Wszyscy do broni!

Alarm podjęły natychmiast gongi i ich głębokie tony zaczęły rozbrzmiewać nad lasem bambusowym. Z koszar wybiegli żołnierze i uformowali szyk bojowy.

Teng odwrócił się do generała China.

– Zabierz Meilin do wschodniego wejścia i poinstruuj ją, jak dotrzeć do Pharsit Nang. Utrzymamy fort tak długo, jak to będzie możliwe, potem zaś spotkamy się w południowo-wschodnim obozie zaopatrzeniowym. Tylko upewnij się, że moja córka nie zawróciła z drogi.

– Ojcze, nigdzie nie odejdę! Nie po raz drugi! – wykrzyknęła Meilin. – Jestem wojowniczką i zamierzam walczyć za Zhong!

Teng pokręcił stanowczo głową i odparł:

– Owszem, jesteś wojowniczką, lecz należysz też do Zielonych Płaszczy. Masz wobec nich zobowiązania.

– Nie, ojcze, moją powinnością jest zostać przy tobie!

Generał złapał córkę za ramiona i zmusił, żeby na niego spojrzała.

– Nie, Meilin. Otrzymaliśmy wieści, że wojownicy Zielonych Płaszczy są w Pharsit Nang. Musisz odnaleźć swoich towarzyszy i do nich dołączyć. Nie powinnaś była ich porzucać. Chin objaśni ci drogę. A teraz idź!

Meilin patrzyła na niego, czując bunt wzbierający w sercu. Nie potrafiła przyjąć do wiadomości słów, które przed chwilą usłyszała. Przestała dbać o to, czy ktoś zobaczy jej łzy. Nie pojmowała, jak ojciec mógł tak po prostu znowu ją odesłać. Nie chciała wracać do Zielonych Płaszczy. Nie wierzyła, żeby byli w stanie skutecznie stawić opór Zdobywcom. Jedynie Zhong posiadało zdolne do tego siły.

– Ojcze, przebyłam długą drogę…

– Nie sprzeciwiaj mi się! Czworo Poległych powinno być razem, tego jestem pewien. Nie rozumiesz, że jesteście naszą jedyną nadzieją? Poza tym nie jesteś tu bezpieczna – dodał ciszej.

– Co…? Co masz na myśli?

– Wróg znalazł nas zbyt szybko, żeby mógł to być przypadek – powiedział generał, zniżywszy głos niemal do szeptu. Chociaż żołnierze szykujący się do bitwy czynili spory harmider, chciał mieć pewność, że jego słowa trafią tylko do uszu córki. – Albo jest wśród nas zdrajca, albo…

albo coś jeszcze gorszego. Chodzi mi jedynie o twoje bezpieczeństwo oraz o bezpieczeństwo Jhi. Nie mogę pozwolić na to, żebyście wpadły w ręce Zdobywców. Bądź posłuszna, Meilin. Idź już. Prędko!

Meilin cofnęła się, do głębi wstrząśnięta słowami ojca. Zdrada! Wśród członków ruchu oporu! To niemożliwe! Ale skoro ufała generałowi, musiała mu wierzyć i pogodzić się z jego decyzją. Tym bardziej że odsyłał ją nie dlatego, że uważał ją za słabą, lecz dlatego, że nie miał innego wyjścia.

– Meilin, nadal tu jesteś? Błagam cię, idź już! Dlaczego nie możesz zrozumieć, co należy zrobić? – słowa ojca były tak surowe, a rozczarowanie, słyszalne w jego głosie, tak gorzkie, że mimo upału dziewczyna poczuła nagły chłód, jakby oblano ją lodowatą wodą.

Być może miejsce Jhi rzeczywiście było przy Essix, Brigganie i Urazie, a co za tym idzie – Meilin powinna powrócić do drużyny. Odeszła w gniewie, choć Finn próbował ją przekonać, żeby tego nie robiła. Zaślepiona wściekłością, porzuciła towarzyszy, przedłożywszy swoje egoistyczne pragnienia nad dobro ogółu...

Meilin zamrugała, próbując powstrzymać łzy napływające do oczu. Odnalazła ojca tylko po to, żeby on znów ją odesłał... Czuła w sercu ogromny ból, ale rozumiała, że musi go zdusić. Teng jej nie rozkazywał, on ją błagał. Traktował ją jak kogoś równego sobie i starał się wytłumaczyć jej swoje racje, mimo że ona uparcie nie chciała go słuchać.

– Tak, ojcze, rozumiem – wyszeptała wreszcie. – Odejdę natychmiast.

– Tak należy zrobić – tym razem głos generała zabrzmiał łagodniej.

Gdy Meilin się wyprostowała, odniosła wrażenie, że na twarzy ojca widzi cień uśmiechu. Smutnego, ale jednak uśmiechu.

– Generale Chin, jestem gotowa – powiedziała do starego przyjaciela Tenga, po czym jeszcze raz spojrzała za siebie. – Żegnaj, ojcze – dodała cicho.

– Żegnaj, Meilin.

Oboje odwrócili się w tej samej chwili. Generał Teng szybkim krokiem dołączył do żołnierzy, którzy wymaszerowywali z fortu w szyku bojowym. Chin poprowadził Meilin w przeciwnym kierunku, ale idąc, raz po raz oglądał się przez ramię.

Meilin też zerkała do tyłu. Miała wrażenie, że z każdym krokiem zostawia za sobą kawałek serca.

Rozgorzała walka. Lojalni żołnierze Zhong zbili się w małą grupę i stojąc tarcza w tarczę przy wyjściu z labiryntu, nie pozwalali wrogim siłom zalać dolinki i przypuścić szturmu na fort. Jednak na miejsce każdego zabitego przeciwnika pojawiało się trzech nowych, a łucznicy z armii Zdobywców wspinali się już po żelaznych szpikulcach na łodygi bambusów. Za kilka chwil mieli zacząć zasypywać obrońców gradem strzał.

Napór najeźdźców udawało się powstrzymywać jedynie dzięki temu, że ścieżka wychodząca z labiryntu była bardzo wąska, a także dzięki heroizmowi zhongijskich żołnierzy. Meilin słyszała niesione wiatrem okrzyki bojowe, wrzaski bólu i szczęk stali uderzającej o stal. Obrońcy nie mieli szans, żeby odeprzeć wrogie wojsko. Nie mogło się to udać nawet z pomocą posiłków prowadzonych przez jej ojca.

– Przy odrobinie szczęścia uda im się wytrzymać do zmroku i wymknąć się pod osłoną nocy – pocieszył ją Chin. – Nie rozumiem tylko, w jaki sposób Zdobywcom udało się tak szybko znaleźć drogę przez labirynt!

– Nie przyszli za mną – odparła Meilin w odpowiedzi na zarzut, którego generał nie śmiał wypowiedzieć głośno. – Jestem pewna. Może mają ze sobą skrzydlate zwierzoduchy, takie jak Essix. Może dzięki pomocy ptaków sporządzili mapę labiryntu?

– Zabijamy wszystkie ptaki – wyjaśnił Chin, po czym potrząsnął głową, jakby odpędzał od siebie jakąś niepokojącą myśl. – Chodźmy. Od Pharsit Nang dzielą cię dwa dni forsownego marszu. Musisz jak najszybciej wyruszyć w drogę, żebym mógł wrócić do fortu. Powiem ci, jak pokonać labirynt. Słuchaj uważnie.

10

CHOROBA ZMIERZCHU

Abeke obudziła się z pulsującym bólem głowy. Była bardzo głodna i chciało jej się pić. Przez prześwit w zasłonie chmur, które były tego ranka grube i ciężkie od deszczu, przebijało jaskrawe światło słońca. Zorientowała się, że leży na boku w wysokiej trawie i nie może się ruszać. Przez dłuższą chwilę bezskutecznie próbowała sobie przypomnieć, co się stało. Wyglądało na to, że została związana, ale przez kogo? I z jakiego powodu?

Kiedy pamięć powróciła, Abeke jęknęła cicho, nie tyle z bólu, ile raczej z niepokoju. Strzałek było po prostu zbyt dużo i nawet z pomocą zwierzoduchów nikt z drużyny nie był w stanie uniknąć wszystkich. Prędzej czy później któryś zatruty pocisk trafiał w odsłoniętą skórę i toksyna dostawała się do krwiobiegu. Pierwszy upadł Rollan, potem Conor. Obaj runęli na ziemię ciężko, bez życia. Z kończynami rozrzuconymi pokracznie na wszystkie strony wyglądali niczym kukiełki teatru lalek. Lishay rzuciła się, żeby pośpieszyć na pomoc Abeke, ale jad ze strzałki pozbawił ją sił w pół kroku. Jej oczy obróciły się białkami do góry, potem ugięły się pod nią nogi i upadła twarzą na trawę.

Abeke nadal miała przy sobie talizman Granitowego Barana, więc korzystając z jego mocy, chciała przesadzić hordę nieprzyjaciół jednym potężnym susem. Strzałka trafiła ją w szyję w chwili, gdy przeskakiwała nad stadem rozjuszonych nosorożców. Usłyszała gdzieś za sobą warknięcie Urazy i poczuła, że świat przed jej oczami gwałtownie się kurczy. Ciemność pojawiła się najpierw na obrzeżach pola jej widzenia, potem zaś zamykała się w coraz ciaśniejszy pierścień, aż wreszcie dziewczyna widziała już tylko jakby z końca długiego, czarnego tunelu. Resztkami sił zdążyła jeszcze przyzwać lamparcicę, która natychmiast zmieniła się w tatuaż. Pod tą postacią Uraza była bezpieczna, z kolei Abeke miała nadzieję, że kiedy się już obudzi, będzie mogła liczyć na pomoc swojego zwierzoducha.

Jeśli w ogóle się obudzi.

Nie wiedziała, jak długo była nieprzytomna. Promienie słońca, które stało już wysoko na niebie, były tak oślepiające, że musiała mrużyć oczy. Próbowała nie tracić ducha. Przekonywała samą siebie, że jej sytuacja nie jest taka zła, że przecież nadal żyje. I że choć nie ma pojęcia, co robić dalej, na pewno w końcu wymyśli jakiś plan.

Wyczuwała, że ręce skrępowano jej skórzanym rzemieniem, a nogi – czymś szorstkim niczym powróz.

Obróciła się na drugi bok i zobaczyła Conora i Lishay. Oboje byli przytomni, ale niestety – tak jak ona – związani. Za Lishay leżał na plecach Rollan. Nie był spętany, mimo to ogóle się nie ruszał. Twarz miał bladą i wyglądał na bardzo chorego, a może nawet...

– Rollan! – wychrypiała Abeke.

– Żyje – uspokoił ją Conor. – Ale chyba jest z nim bardzo źle. Martwię się, bo nie wiem, jak długo wytrzyma bez pomocy.

– Już wcześniej nie wyglądał najlepiej – zauważyła Lishay. – A może to reakcja na truciznę?

– Musimy go ratować – powiedziała Abeke. Usiadła i niezdarnie zaczęła się przesuwać w stronę Rollana. – Widzieliście gdzieś Tarika?

– Zniknął bez śladu – odparł Conor.

– Nie zobaczymy go, dopóki on sam tego nie zechce – stwierdziła cicho Lishay.

Abeke zadarła głowę, żeby się rozejrzeć, ale wysoka trawa zasłaniała wszystko wokół. Widać było tylko szczyty drzew rosnących w pewnej odległości.

– Czy to ta sama polana, na której wpadliśmy w zasadzkę Tergeshów? – spytała.

– Nie, jesteśmy gdzie indziej – odparła ich przewodniczka. – Chyba nas tu przynieśli.

– A co będzie, jeśli chcą nas sprzedać Zdobywcom? – zastanawiała się głośno Abeke.

– Jeźdźcy nosorożców tak nie postępują – wyjaśniła ponuro Lishay. – Będziemy musieli się podporządkować ich wyrokom. Dostaniemy szansę, żeby dowieść, że jesteśmy niewinni. Zazwyczaj Tergeshowie wyznaczają jakąś próbę albo zadanie do wykonania. Jeśli nie przejdziemy tej próby, zabiją nas. Dlatego musi nam się udać.

– Przecież nie zrobiliśmy nic złego – żachnął się Conor.

– Gdyby mieli zamiar nas zabić, już by to zrobili – zauważyła Abeke.

– Trudno powiedzieć – odparła Lishay. – Wydaje mi się, że byliśmy nieprzytomni przez dwie noce.

Abeke pokręciła głową z niedowierzaniem. Dwie noce! Nic dziwnego, że tak bardzo chciało jej się pić...

– Przyprowadzić więźniów! – rozległo się gdzieś niedaleko, więc troje towarzyszy popatrzyło na siebie z obawą.

Po chwili zadudniły kroki, rozsunęła się najbliższa kępa traw i do jeńców zbliżyło się sześciu mężczyzn. Trzech niezbyt delikatnie pomogło wstać Lishay, Abeke i Conorowi. Pozostali podnieśli Rollana. Chłopak leciał im przez ręce, a jego głowa kołysała się bezwładnie na wszystkie strony.

Polana, która ukazała się ich oczom, była znacznie większa niż ta, na której zostali schwytani. Na samym jej środku, w wysokiej trawie umieszczono pokaźny głaz, któremu ktoś pracowicie nadał kształt nosorożca. Na tym kamiennym posągu stał mężczyzna z bujną brodą, który – jak wszyscy Tergeshowie – nosił na głowie turban, a na ramiona zarzucony miał burnus. Pierś mężczyzny ozdabiał złoty wisior w kształcie rogu nosorożca.

Abeke zaczęła się rozglądać. Przekonała się, że z tyłu, za jej plecami stali w szeregach jeźdźcy nosorożców.

Były ich całe setki. Zarówno ludzie, jak i ich zwierzęta wpatrywali się w mężczyznę stojącego na głazie i prowadzonych ku niemu jeńców.

– Jestem Jodoboda – oznajmił mężczyzna, gdy pojmani znaleźli się przed posągiem. – Jestem wodzem Tergeshów, zwanych przez was jeźdźcami nosorożców. Podajcie swoje imiona i wysłuchajcie wyroku!

– Jestem Lishay z Zielonych Płaszczy. Przybyliśmy tu, żeby…

– Tylko imiona! – ryknął Jodoboda.

– Jestem Abeke z Okaihee.

– Ja jestem Conor. Conor znikąd.

– Kim jest wasz towarzysz?

– Na imię mu Rollan – odezwała się Lishay. – Jest chory i potrzebuje…

– Cisza! – zagrzmiał znowu Jodoboda. – Od tej chwili tylko jedno z was będzie mogło się odzywać! Wyznaczam… ciebie! – powiedział i wskazał palcem Conora.

Chłopak przełknął ślinę i zerknął na Lishay, która zachęciła go ruchem głowy.

– No więc, hmm… należymy do Zielonych Płaszczy – zaczął z wahaniem. – Nie jesteśmy waszymi nieprzyjaciółmi. Chcemy tylko odnaleźć jedną z Wielkich Bestii. A dokładnie Dinesha.

– Czy wiedzieliście, że wkraczacie na ziemie Tergeshów? – spytał wódz plemienia.

– Eee… właściwie tak. Ale mieliśmy nadzieję, że uda nam się przemknąć niezauważenie – przyznał Conor.

Abeke mocno zacisnęła pięści, ale jej twarz pozostała niewzruszona. Nie chciała się zdradzić z tym, że zawiodła się na Conorze. Chciała, żeby widać było po niej jedynie siłę, opanowanie i inteligencję. Może jeśli Jodoboda pozwoli jej zabrać głos, uda jej się zatrzeć wrażenie, jakie musiały wywrzeć na jeźdźcach nosorożców politowania godne słowa jej kolegi. Jeśli w ogóle można było jeszcze naprawić szkodę wyrządzoną przez ich naiwnego mediatora...

– Mamy bardzo mało czasu – tłumaczył dalej Conor. – A to dlatego, że Zdobywcy, to znaczy słudzy Pożeracza... oni też chcą odnaleźć Dinesha. Zajęli już Xin Kao Dai, a teraz planują inwazję na Kho Kensit.

– Wiemy o tym – powiedział Jodoboda. – Macie szczęście, że nie należycie do armii najeźdźcy ze Stetriolu. Gdyby tak było, już dawno rzucilibyśmy was na pastwę nosorożców.

– Jeśli pozwolicie, chcielibyśmy kontynuować poszukiwania. Potrzebujemy także pomocy dla Rollana, który zachorował i...

– Tergeshowie nie wpuszczają na swoje ziemie intruzów – przerwał mu wódz. – Nie pozwolimy wam włóczyć się po naszych terenach w poszukiwaniu tego, którego i tak nie zdołalibyście odnaleźć.

– Czy Tergeshowie wiedzą, gdzie jest Dinesh? – zaciekawił się Conor.

– Wiedzą. Ale dlaczego mieliby wam zdradzić, gdzie on przebywa? Dlaczego w ogóle mieliby wam pomagać?

– Pomożecie nam dlatego, że macie przed sobą umierające dziecko. Oraz dlatego, że Tergeshowie nie są mordercami, lecz ludźmi honoru!

Jeźdźcy zaszemrali, gdy te słowa padły spomiędzy ich szeregów.

Jodoboda zamrugał kilkakrotnie ze zdziwienia i groźnie nastroszył wąsiska.

– Niech wystąpi ten, kto to powiedział! – zaryczał.

Z tłumu wyszła samotna postać i zbliżyła się do głazu w kształcie nosorożca. Śmiałek miał na sobie tradycyjny strój Tergeshów, lecz kiedy stanął obok jeńców, zrzucił turban z głowy.

Twarz Lishay momentalnie pojaśniała, a Conor wykrzyknął:

– Tarik! Jak nas znalazłeś?!

W górze rozległ się przeszywający krzyk sokolicy. Essix zapikowała, przeleciała nad głową Conora, a następnie zatoczyła koło nad zgromadzonymi. Potem wylądowała tuż obok nieprzytomnego Rollana i usiadła mu na piersi.

– Co tu się dzieje? – prychnął Jodoboda i gestem nakazał jeźdźcom zacieśnić krąg wokół pojmanych.

Na widok Tarika Abeke poczuła ulgę, teraz jednak, gdy zaczęły się do niej zbliżać nosorożce, znowu zalała ją fala niepokoju.

– Z całym szacunkiem. – Tarik skłonił się głęboko. – Nie przybyliśmy tu z wrogimi zamiarami. Pozwólcie nam odejść, a gwarantujemy, że nie spotka was żadna krzywda.

– Nie spotka nas krzywda?! – Jodoboda odchylił głowę i głośno zarechotał, jakby w całym życiu nie słyszał niczego równie zabawnego.

Śmiech zamarł mu jednak na ustach, kiedy znienacka wyrosła za nim szczupła postać, która przytknęła mu nóż do gardła i wycedziła:

– Jak powiedział mój przyjaciel, gwarantujemy wam bezpieczeństwo.

Abeke wytrzeszczyła oczy ze zdziwienia.

– Meilin! – zawołał Conor. – Co...?! Jak...?!

– Mówicie o szacunku... – powiedział cicho Jodoboda. Chociaż ostrze niemal muskało jego skórę, wydawał się bardzo spokojny. – A mimo to jedno z was stoi na Głazie Ludu. To dowodzi braku szacunku. Zejdź na ziemię, a porozmawiamy.

Meilin zawahała się i powiodła wzrokiem po zebranych. Dopiero teraz zauważyła Rollana leżącego bez ruchu w trawie. Jej oczy zwęziły się złowróżbnie, a nóż znalazł się na tyle blisko gardła wodza, że gdyby zadrżała jej ręka, polałaby się krew.

– Coście zrobili Rollanowi?! – krzyknęła.

– Nic! Rollan zachorował – odpowiedziała opanowanym głosem Abeke. – Jeźdźcy nosorożców nic mu nie zrobili. Porozmawiajmy bez nerwów.

Meilin zerknęła na Tarika, a kiedy ten skinął głową, po chwili wahania schowała nóż i odsunęła się od Jodobody.

– Jak widzicie, nie chcemy waszej krzywdy – powtórzył spokojnie Tarik.

Meilin zeszła z głazu, przyklękła obok Rollana i delikatnie dotknęła wierzchem dłoni jego czoła. Potem podniosła wzrok na pozostałych kolegów. Conor pozdrowił ją machnięciem ręki, a Abeke skinęła głową. Bardziej wylewne powitania oraz wyjaśnienia musiały poczekać.

– Rzeczywiście, teraz to widzę – przyznał Jodoboda i zaczął masować swoje gardło. – Jest to jeden z powodów, dla których postanowiłem udzielić wam pomocy.

– Zabierzecie nas do Dinesha i wyleczycie Rollana? – zapytał z nadzieją Conor.

– Nie. Jeszcze nie pora na to. Starożytny obyczaj zabrania nam wyświadczać obcym przysługi, dopóki nie okażą się tego godni. Najpierw musicie wykonać wyznaczone przeze mnie zadanie. W ten sposób zasłużycie na to, o co prosicie.

– To ma być pomoc? – prychnęła Meilin, znów kładąc dłoń na rękojeści noża.

– Jakie to zadanie? – zapytał Conor i głośno przełknął ślinę.

Jodoboda przeczesał brodę palcami i przesunął spojrzenie na Rollana. Chłopak był bardzo blady, a na jego twarzy pojawiły się czerwone plamy.

– Musicie przynieść mi z głębi bagien cztery owoce pałężyny – powiedział w końcu wódz. – Po jednym za każde z Czworga Poległych.

– Pałężyny? – upewnił się Conor. – To wszystko?

– Uważacie to zadanie za niegodne?

– To kpina! – warknęła Meilin.

– Zapewniam, że mówię śmiertelnie poważnie – oznajmił stanowczo Jodoboda. – Wasz przyjaciel zapadł na chorobę zmierzchu. Lek wyrabia się z nasion pałężyny. Jeżeli chłopak nie dostanie go przed jutrzejszym wieczorem, czeka go śmierć.

Wzrok wszystkich obecnych spoczął na Rollanie. Plamy na jego twarzy miały barwę głębokiego szkarłatu, w jaki przyobleka się niebo o zmierzchu. Oddychał bardzo płytko, a na jego skórze perlił się pot.

– Rollan umiera? – zapytała z niepokojem Meilin. – Więc musimy natychmiast ruszać na bagna!

– Będziemy musieli się rozdzielić – postanowił Tarik. – Czy Jhi może coś zrobić? Może spowolnić chorobę?

– Myślę, że tak – zreflektowała się dziewczyna.

Panda, która po chwili pojawiła się w błysku światła, spojrzała na Rollana, sapnęła i zaczęła go lizać po głowie. Chłopak zajęczał i poruszył się po raz pierwszy, odkąd stracił przytomność.

– Jak mogliście pozwolić, żeby się tak bardzo rozchorował? – oburzyła się Meilin.

– My... Ja... nie zauważyłam, że jest chory – wyznała cicho Abeke, zawstydzona wyrzutem. – Nie skarżył się...

– Powinniśmy byli się zorientować – powiedzieli jednocześnie Lishay i Tarik.

– Jhi mu pomoże – odezwała się znowu Abeke. – Patrzcie, czerwone plamy znikają.

Rzeczywiście, szkarłat na jego policzkach nieco zbladł, ale nie zginął do końca.

– Twój zwierzoduch ulżył cierpieniom chłopaka, ale lek na chorobę zmierzchu jest tylko jeden – wtrącił się Jodoboda. – Odejdziemy teraz, żeby się zająć innymi sprawami. Wrócimy na tę polanę przed jutrzejszym zachodem słońca. Przynieście pałężyny. Jeżeli wam się uda, pozwolimy wam przejść przez nasze ziemie do Jeziora Słoniowego. Jeżeli przyjdziecie z pustymi rękami, wasz przyjaciel umrze, a my odeskortujemy was do granicy… i bez względu na to, jak ważna jest wasza misja, już nigdy nie postawicie stopy na terenach Tergeshów.

– Gdzie znajdują się te bagna? – chciał wiedzieć Conor.

Jodoboda uśmiechnął się ponuro.

– To już wasze zmartwienie, nie moje – odparł i odszedł w stronę czekającego nosorożca.

Wskoczył na grzbiet zwierzęcia i poklepał je po boku, po czym chwycił łańcuch przeciągnięty przez otwór u podstawy rogu wierzchowca. Gdy wskazał ręką na zachód, wokół podniósł się niewyobrażalny harmider. Wśród wrzawy oraz parsknięć i ryków stada nosorożców jeźdźcy zaczęli opuszczać polanę, wymijając w galopie małą grupkę przedstawicieli Zielonych Płaszczy, nadal stojących przy głazie.

Tarik, nie zwlekając, uwolnił Abeke z pęt i już wspólnie oswobodzili pozostałych towarzyszy, bo Meilin nawet na moment nie chciała odejść od nieprzytomnego Rollana. Jedną dłoń trzymała ciągle na karku Jhi, która wciąż lizała chłopaka po głowie.

– Lishay, czy wiesz, gdzie leżą te bagna? – zapytała z nadzieją Abeke.

– Mniej więcej – odparła kobieta. – Powinniśmy wyruszyć w drogę jak najszybciej. Tariku, zostaniesz z Rollanem i Meilin?

– Nie wiem, czy to konieczne. Jeźdźcy nosorożców na pewno rozstawili w okolicy straże. Rollan powinien być tu bezpieczny pod opieką Meilin.

Sokolica podniosła głowę i zagwizdała wibrująco.

– Oraz pod opieką Essix i Jhi, ma się rozumieć – uzupełnił Tarik. – Ja i Lumeo bardziej przydamy się na bagnach.

– Przecież mamy tylko zdobyć pałężyny – zauważyła Abeke. – To nie może chyba być bardzo trudne?

Nikt nie umiał jej odpowiedzieć na to pytanie.

– Nie możemy jeszcze ruszać – odezwał się Conor ze wzburzeniem w głosie, cały czas intensywnie wpatrując się w Meilin. – Najpierw muszę... muszę to wiedzieć. Meilin... dlaczego wróciłaś?

Meilin podniosła się i zwróciła ku niemu. Nagle powietrze stało się aż gęste od napięcia. Abeke zastanawiała się rozpaczliwie, jak zapobiec awanturze, która wydawała się nieunikniona. „Przecież oni nie mogą teraz zacząć się kłócić! – pomyślała. – Nie w takiej chwili!".

Ale do żadnej sprzeczki nie doszło.

– Ja... popełniłam błąd, Conor – wyznała Meilin. – Nie powinnam była odchodzić.

– Aha – odparł Conor. Jego uszy zrobiły się malinowe, ale ani nie spuścił wzroku, ani nie przeprosił za napastliwe pytanie. – Cieszę się, że wróciłaś. Odnalazłaś ojca?

Meilin najpierw wolno skinęła głową, a potem zdecydowanie nią pokręciła. Dla wszystkich stało się jasne, że nie chciała ciągnąć tego tematu.

– To była trudna wyprawa – powiedziała cicho. – Zgubiłam się w drodze do Zhong, ale uratowała mnie jedna z Naznaczonych. Wyprowadziła mnie z Bambusowego Labiryntu. Chyba należała kiedyś do Zielonych Płaszczy. Miała na imię Xue.

– Xue?! – wykrzyknął zaskoczony Tarik.

– Znasz ją?

– Myślałem, że nie żyje. Xue odeszła od nas, kiedy byłem bardzo młody. Twierdziła, że Zielone Płaszcze za dużo mówią, a za mało robią.

– Miała rację – zauważyła Meilin, znacząco przenosząc spojrzenie na Rollana. – Nawet w tej chwili za dużo mówimy, a za mało robimy.

– Więc ruszajmy – rzuciła Lishay.

Abeke i Conor popatrzyli na siebie nawzajem, a potem odwrócili się w stronę Meilin. Ledwo się odnaleźli, a znowu musieli się rozdzielić. Wszyscy mieli wrażenie, że rozłąka nie przyniesie im nic dobrego, że kuszą los.

– Powodzenia – powiedziała Meilin, siadając na ziemi przy Rollanie i Jhi.

– Wam również – odparł Conor. – Opiekuj się nim.

– Wkrótce wrócimy – obiecała Abeke.

11

NIEBEZPIECZNE WODY

O dtąd będą nas prowadzić zwierzoduchy – oznajmił Tarik, przyglądając się badawczo mokradłom, które mieli przed sobą.

Przez ostatnią godzinę maszerowali w dół po pochyłości terenu. Z biegiem czasu podłoże stawało się coraz bardziej podmokłe, wokół rosło też coraz mniej drzew. Teraz rozciągała się przed nimi rozległa, otwarta przestrzeń grzęzawiska z mnóstwem sadzawek ze stęchłą wodą i kępami trzcin na brzegach. Wszędzie widać było małe, błotniste wysepki, otoczone grubymi dywanami zesztywniałych chwastów. Gdzieniegdzie można było wypatrzyć różnokolorowe grzyby, skryte przed wzrokiem wędrowców w gęstwinie traw. Nie było wśród nich takich, które Conor by rozpoznał, więc postanowił przyjąć bezpieczne założenie, że wszystkie są trujące.

– Urazie się tu nie spodoba – powiedziała Abeke, przywołując swoją lamparcicę.

– Brigganowi też nie – dodał Conor, budząc swojego wilka z uśpienia.

– Lepiej, żeby zwierzoduchy były gotowe do pomocy – stwierdziła Lishay i podrapała Zhosura za uszami.

Tygrys zamruczał, całkiem jak domowy kocur, tyle że dużo głębszym basem. I znacznie głośniej.

– Gdzie rosną pałężyny? – zapytał Conor.

– Na drzewach pałężynowych, które trochę przypominają palmy – wyjaśniła Lishay. – Gdzieś musi być jakaś większa wyspa. Drzewa nie rosną w tej części bagien.

– Ciekawe, czy mój Briggan potrafiłby wywęszyć takie drzewo – zastanawiał się Conor.

Usiadł naprzeciw swojego zwierzoducha i zajrzał mu w oczy, jakby chciał z nich wyczytać odpowiedź.

– Potrafisz? – spytał.

Wilk polizał Conora po twarzy, a ten odchylił głowę ze śmiechem. Tak szczerze śmiał się po raz pierwszy od bardzo dawna. Zupełnie jakby powrót Meilin rozplątał w jego sercu węzeł tłumionych dotąd uczuć.

– Nie jestem pewien, czy to oznaczało „tak". Poprowadzisz nas, Briggan?

Wilk odwrócił się i ruszył w stronę bagna z nosem przy ziemi. Krętą ścieżką dotarł do najbliżej położonej wysepki.

– Uważam, że powinniśmy pójść za nim – powiedział Conor. – Chyba że ktoś z was chce wpaść do błotka.

Cała grupa ruszyła ostrożnie śladem Briggana. Jak się okazało, brodzenie w wodzie nie stanowiło problemu dla

Zhosura, za to Uraza zamiauczała, oburzona, gdy tylko zrobiła pierwszy krok. Potem stąpała tak, żeby jak najmniej zamoczyć łapy.

– Nie jest aż tak źle – pocieszała ją Abeke. – Te mokradła muszą mieć gdzieś swój koniec i wreszcie natrafimy na suchy ląd.

– Briggan świetnie się spisuje jako przewodnik – pochwalił swojego zwierzoducha Conor, ale gdy tylko to powiedział, wilk zniknął pod wodą z głośnym pluskiem.

Na szczęście zaraz się wynurzył i podpłynął do miejsca, w którym zostawił grupę.

– Nie powinienem go rozpraszać – oświadczył lojalnie Conor i spróbował naprędce oczyścić sierść wilka z błota i szlamu, które zostały na niej po niespodziewanej kąpieli.

– Za dużo tu wody. To dlatego Briggan stracił trop – stwierdził Tarik. – Myślę, że na takim terenie lepszym przewodnikiem będzie Lumeo.

Wydra wydała z siebie odgłos przypominający chichot, po czym zeskoczyła z ramienia partnera wprost do bagna. Poruszała się bardzo zwinnie, więc nie było wątpliwości, że wreszcie jest w swoim żywiole. To znikając pod powierzchnią, to wynurzając się nad wodę, minęła wpław zgromadzonych na brzegu, a potem zaczęła na zmianę płynąć i przeskakiwać pomiędzy błotnistymi wysepkami.

– Dajcie jej trochę czasu, a na pewno znajdzie bezpieczną ścieżkę – dodał Tarik.

Po chwili Lumeo powróciła ze zwiadów i sprawnie poprowadziła grupę przez mokradła.

Parę kilometrów dalej trafili na kilka większych wysp, mniej podmokłych i wystających wyżej ponad wodę. Żadne z porastających je drzew nie było jednak pałężyną.

– Zaczyna się ściemniać – zauważył Conor, zerkając w niebo. – Powinniśmy znaleźć kawałek suchego lądu i rozbić obóz.

– To chyba nie jest dobry pomysł – odparła Lishay.

– Nie będziemy przecież błądzić po bagnach przez całą noc! – zaprotestował Conor.

– Patrzcie – powiedział Tarik, wskazując na swojego zwierzoducha.

Lumeo stanęła na tylnych łapach i przechyliła łepek na bok. Chwilę później zaskomlił Briggan i zaczął chodzić niespokojnie wokół Conora. Natomiast oba wielkie koty nastawiły uszu, a potem jednocześnie zawarczały.

W oddali dało się dostrzec migotanie długiego rzędu pochodni. Światła unosiły się i opadały, ale w gęstniejącym mroku nie było widać wiele oprócz samych płomieni – jedynie niewyraźne ludzkie sylwetki.

– Ktoś chodzi po bagnach z pochodniami… – ciągnął Tarik. – To dziwne.

– To nie są jeźdźcy nosorożców – wtrącił Conor.

Był pewien, że gdyby to byli Tergeshowie, Briggan rozpoznałby ich po zapachu.

– Coś jest w wodzie – ostrzegł Tarik.

Mokra Lumeo wskoczyła mu na ramię i razem wpatrzyli się w ciemność.

– To… coś szybkiego.

– Może krokodyle? – zastanawiała się głośno Lishay. – Żyje tu słodkowodna odmiana tych gadów. Zwykle nie są zbyt duże i wyjątkowo rzadko atakują ludzi...

– Chyba że napojono je Żółcią... – zauważył ponuro Tarik. – Cokolwiek to jest, porusza się z niezwykłą prędkością. Jakby uciekało przed ludźmi z pochodniami.

– I płynie w naszą stronę – dodała Abeke. – To nie może być przypadek.

– Czy nie byłoby lepiej, gdybyśmy się zatrzymali na jednej z tych wysepek? – zapytał nerwowo Conor, który tęsknił za stałym gruntem pod stopami.

– Tak, to brzmi sensownie – zgodził się Tarik.

Zapadał zmrok, nieliczne większe wyspy były już ledwie widoczne. Dlatego dowódca wskazał najbliższą z nich i poprosił:

– Lumeo, znajdź nam drogę do tej wyspy.

Wydra skoczyła w ciemność bez wahania. Po chwili reszta grupy ruszyła jej śladem i z ulgą weszła na suchy ląd. Wysepka, na której się znaleźli, wystawała zaledwie metr ponad powierzchnię wody, rosły na niej tylko mało okazałe palmy, które nie dawały żadnej ochrony ani przed zwierzętami zmierzającymi w stronę drużyny, ani przed ludźmi, którzy je zaganiali.

– Nic nie widzę – odezwał się Conor.

– Spróbuj skorzystać ze zmysłów Briggana – poradził mu Tarik. – Ty też, Abeke. Poproście swoje zwierzoduchy o pomoc. Ja sam tak robię z Lumeo, gdy nie radzę sobie bez niego.

– A ja z Zhosurem – wyznała Lishay. – Każda więź jest wprawdzie inna, ale… – nie dokończyła zdania, tylko szybkim ruchem sięgnęła ku rękojeści miecza.

Niedaleko nich, w wodzie coś się nagle zaszamotało i na wyspę wpełzły dwa olbrzymie krokodyle. Miały ponad cztery metry długości i były nienaturalnie, odrażająco wręcz umięśnione. Ich głęboko osadzone oczy biły wściekłą czerwienią.

„To nie są zwierzoduchy" – pomyślał Conor.

Krokodyle zaatakowały.

Uraza i Zhosur rzucili się jednocześnie na gada, który był bliżej nich. Zhosur przeskoczył nad łbem krokodyla i zamknął swoje potężne szczęki na jego lewej tylnej nodze. Wtedy Uraza złapała zębami prawą nogę zwierzęcia. Lamparcica i tygrys trzymali mocno, zaparłszy się łapami w błocie, podczas gdy krokodyl próbował dosięgnąć ich szczękami, długimi prawie na metr i pełnymi ostrych zębisk. Trzepał przy tym wściekle ogonem i szarpał się w tył. Kiedy na moment otworzył szeroko pysk, Tarik skoczył do przodu i wbił oburącz miecz w jego miękkie gardło.

Briggan walczył w tym czasie z drugim krokodylem. Uchylał się przed groźnie kłapiącymi szczękami mutanta i cofał w głąb lądu, gdzie czekał Conor z toporem gotowym do ciosu.

Abeke napięła spokojnie łuk i posłała krokodylowi strzałę. Celowała w oko, ale chybiła i grot odbił się od grubej skóry gada. Potwór znów spróbował dosięgnąć pyskiem Briggana, na szczęście wilk w porę odskoczył, więc mutant złapał nie jego, tylko pień drzewa.

Conor nie zastanawiał się nad tym, co robi. Wbiegł na grzbiet rozjuszonego gada, z trudem utrzymując równowagę na kolczastych wyrostkach na jego skórze. Krokodyl zarzucił cielskiem i chłopak prawie spadł, ale udało mu się zamachnąć toporem i z całej siły uderzyć potwora w łeb, tuż za oczami.

Ku zaskoczeniu i zgrozie Conora krokodyl przeżył cios. Na dodatek rozjuszył się jeszcze bardziej, bo topór uwiązł w czaszce – nie pomogło mu ani potrząsanie łbem, ani wściekłe ryki. W końcu przeturlał się po ziemi, a Conor dosłownie w ostatniej chwili zeskoczył z jego grzbietu, dzięki czemu uniknął zmiażdżenia. Utraciwszy topór, wyciągnął nóż, który jednak wydawał się całkowicie bezużyteczny jako broń przeciwko tak straszliwemu przeciwnikowi.

Tymczasem gad wykręcił cielsko w niemożliwie ciasnym zwrocie i ruszył na Conora. Topór wystawał z jego czaszki jak makabryczna ozdoba. Chłopak wpatrywał się w czerwone ślepia mutanta, gotów w każdej chwili odskoczyć przed jego ostrymi zębiskami.

Nagle u boku Conora pojawiła się Abeke. Ponownie wycelowała z łuku w oko krokodyla i z tej niewielkiej odległości wypuściła dwie strzały, które weszły w gałkę aż po lotki. Gad zrobił jeszcze tylko kilka kroków, wściekle ryjąc błoto pazurami, i znieruchomiał u stóp dwójki młodych towarzyszy.

– Szybko! – zawołała Lishay, która stała na grzbiecie drugiego krokodyla i rozglądała się dookoła. – Wytnijmy drągi z tych drzew, a potem natychmiast ruszajmy w dalszą drogę! Zbliża się więcej tych potworów!

Tarik pomógł Conorowi wydobyć topór z łba martwego gada, czemu towarzyszył ohydny dźwięk przypominający mlaśnięcie. Później poklepał Conora po ramieniu i pośpieszył pomóc Lishay.

– Trzymajcie się wyznaczonego kierunku – poinstruował jeszcze Conora i Abeke. – My dwoje postaramy się odciągnąć pozostałe krokodyle i dołączymy do was najszybciej, jak się da.

– Czy to bezpieczne? – zapytała Abeke.

– Nie martw się – próbowała uspokoić ją Lishay. – Jeśli będziecie postępować ostrożnie, nic wam się nie stanie.

W ciemności błysnęły zęby dziewczyny.

– Chodziło mi o was – powiedziała.

Tarik odwzajemnił uśmiech Abeke, po czym wymienił z Lishay znaczące spojrzenia. Kobieta skinęła głową i oboje wraz ze swoimi zwierzoduchami pobiegli na drugą stronę wyspy, głośno pokrzykując i rozchlapując wodę. Z oddali odpowiedziały im wrzaski ludzi i ryki zwierząt, a Conor i Abeke zobaczyli, że rząd pochodni kieruje się teraz ku hałasującym uciekinierom.

– Czy tylko mi się tak wydaje, czy oni trochę za dobrze się ze sobą czują? – zapytał Conor.

– Zaufanie prawdziwego przyjaciela jest bezcenne i rozjaśnia nawet najciemniejszą noc – odparła Abeke.

Zakłopotany Conor przestąpił niepewnie z nogi na nogę. Nie wiedział, czy Abeke miała na myśli Tarika i Lishay, czy też zrobiła aluzję do tego, że on zdradził zaufanie członków drużyny. Co będzie, jeśli powrót Meilin nie naprawi niczego między nimi? Jeśli Rollan umrze, Conor nigdy nie będzie miał szansy, żeby się z nim pogodzić...

– Wytnij parę kijów z gałęzi. Najciszej jak potrafisz – powiedziała Abeke. – Ja i Uraza staniemy na czatach.

Conor zaczął ścinać gałęzie pobliskiego drzewa, trzymając topór blisko żeleźca, żeby robić jak najmniej hałasu. Choć wiedział, że Abeke i Uraza pilnują tyłów, i tak ciarki chodziły mu po plecach. Najcichszy szmer przypominał mu o przerażających krokodylich szczękach.

Pracował szybko, jak nigdy wcześniej. Gdy skończył, podał jeden drąg Abeke i oboje ruszyli na przeciwny kraniec wyspy, badając kijami grunt w poszukiwaniu bezpiecznego przejścia.

– Dokąd teraz? – zapytał Conor, bo podczas walki zupełnie stracił orientację w terenie.

– Tędy – machnęła ręką dziewczyna. – Gwiazdy wskazują nam drogę. Idziemy w stronę znaku Słoniowej Trąby. Widzisz?

Conor spojrzał w górę. Gwiazdy na niebie układały się w kształt, który rzeczywiście trochę przypominał trąbę słonia. Ale on nie znał tej konstelacji.

– Może to dobra wróżba – szepnął do siebie.

Cieszył się, że gwiazdy choć trochę rozjaśniają noc. Nad bagnem wisiały wprawdzie chmury, ale nie było ich tyle co w dżungli. Oczywiście wolałby, żeby gwiazdy dawały nieco więcej światła. Byłby spokojniejszy, gdyby miał pewność, że jest w stanie w porę dostrzec zbliżające się niebezpieczeństwo.

Briggan trącił Conora łbem w biodro, żeby zwrócić na siebie jego uwagę. Chłopak spojrzał wilkowi w oczy, zastanawiając się, co też jego zwierzoduch zdołał wypatrzyć w ciemności.

– Zaczekaj – zwrócił się do koleżanki. – Pamiętasz, co Tarik mówił o korzystaniu ze zmysłów zwierzoduchów?

– No jasne!

Abeke przyklękła i objęła Urazę, a Conor usiadł u boku Briggana i przygarnął go do siebie.

– Wystarczy się skoncentrować i poprosić... – powiedział cicho.

Oboje przymknęli powieki i wyszeptali kilka słów prośby do swoich zwierzoduchów.

Gdy Conor otworzył ponownie oczy, aż westchnął ze zdumienia. Dostrzegał teraz znacznie więcej szczegółów, ale miał też dziwne wrażenie, że cały świat jest oświetlony błękitnym blaskiem. Nie widział cieni rzucanych przez Abeke, Urazę i Briggana, za to sięgał wzrokiem znacznie dalej niż kiedykolwiek.

Również węch chłopaka się wyostrzył. Pierwszy dotarł do niego zapach Briggana. Po chwili zaczął rozróżniać woń roślin rosnących w pobliżu, a później poczuł również Urazę, Abeke i samego siebie. Zmarszczył nos i już miał kichnąć od nadmiaru bodźców, ale w ostatniej chwili sobie przypomniał, że musi zachować ciszę, więc stłumił kichnięcie dłonią.

Briggan spojrzał na niego i szczeknął prawie bezgłośnie. Z wywieszonym językiem wyglądał, jakby się śmiał – najwyraźniej reakcja Conora musiała go nieźle rozbawić.

– I jak? Udało ci się? – zapytała Abeke.

– Tak, nawet węch mam teraz lepszy! A jak z tobą?

– Nie jestem pewna – odparła powoli Abeke, a Uraza przytknęła łeb do jej głowy. – Wszystko jest jaśniejsze, ale coś dziwnego dzieje się z moimi oczami… Chyba po prostu będę musiała się przyzwyczaić. Na razie ty prowadź.

Szli po kostki w mulistej wodzie. Conor badał kijem grunt przed sobą i po bokach. Abeke podążała za nim, ostrożnie stawiając kroki. Pochód zamykały dwa zwierzoduchy, które stąpały wolno, niechętne wędrówce. Uraza bez przerwy syczała z niezadowolenia, a Briggan, nieco cierpliwszy od niej, powarkiwał gniewnie za każdym razem, gdy woda stawała się głębsza albo gdy trzeba było brodzić wśród trzcin i wysokich traw.

Conor korzystał z wyostrzonych zmysłów. W świetle gwiazd obserwował uważnie lustro wody, ale albo niczego niepokojącego w niej nie było, albo on nie potrafił niczego dostrzec.

Brnęli przez grzęzawisko już od kilku godzin, gdy wyczuł, że woda staje się płytsza. Weszli razem na ląd, który był znacznie większy od wszystkich wysp mijanych przez nich po drodze. Dzięki pomocy zwierzoducha Conor zobaczył niewyraźne zarysy wysokich drzew majaczących w oddali, ale nie był pewien, jak duży dystans dzieli ich od tych roślinnych olbrzymów. Widok drzew stanowił jedyną jak dotąd wskazówkę, że podążali we właściwym kierunku. Poza tym może to były pałężynowce...

– Powinniśmy tu odpocząć – powiedział cicho Conor, bo podmokły grunt pod ich stopami zaczął przechodzić w wilgotną ziemię, a wszechobecne dotąd trzciny zastąpiła trawa. – O świcie poszukamy pałężyn.

– Dobrze – chętnie przystała na to Abeke. – Obejmę pierwszą wartę.

– Naprawdę chcesz? Briggan i Uraza mogą zostać na straży. Jesteś pewnie tak samo zmęczona jak ja, a sam ledwo trzymam się na nogach.

– Nie jest ze mną aż tak źle – odparła szorstko Abeke, ale jej kolega nie wyglądał na przekonanego.

– Zgoda, pierwsza warta jest twoja – stwierdził w końcu, choć kompletnie nie rozumiał, dlaczego dziewczyna nie potrafi się przyznać do zmęczenia. Nie był to przecież powód do wstydu. A poza tym uważał, że gdy człowiek nie jest wypoczęty, łatwiej o błąd. Więc jeśli mieli uratować Rollana, musieli odzyskać siły po wędrówce.

Conor westchnął i położył się w trawie z toporem w zasięgu ręki. Zauważył przy tym, że od nadgarstka odpadły mu dwie pijawki, których wcześniej nie dostrzegł. Były nabrzmiałe od wypitej krwi.

– Będziesz wiedziała, kiedy minie godzina? – zapytał.

– Gwiazdy mi powiedzą – odparła Abeke.

– W takim razie obudź mnie wtedy.

Conor podrapał jeszcze Briggana po łbie, a ten wydał gardłowy odgłos i położył się tuż obok, żeby go ogrzewać swoim ciałem. Bliskość zwierzoducha była dla chłopaka krzepiąca. Nie minęło wiele czasu i zasnął kamiennym snem.

12

SAMOTNOŚĆ

N a opustoszałej polanie zrobiło się bardzo cicho. Jhi przestała lizać Rollana po głowie, zwinęła się przy nim w kłębek i położyła łapę na klatce piersiowej chłopaka, w miejscu gdzie wcześniej siedziała Essix. Po chwili sokolica wskoczyła na ramię pandy. Dzięki temu znalazła się nieco wyżej, więc miała lepszy widok na okolicę, a jednocześnie mogła być blisko Rollana.

Meilin niewiele mogła zrobić. Od czasu gdy jej towarzysze ruszyli w stronę bagien, krążyła niespokojnie wokół głazu w kształcie nosorożca. Sprawdzała, czy nigdzie w pobliżu nie czają się nieprzyjaciele... albo Tergeshowie. Nadal nie była pewna, czy tych ostatnich należało uważać za wrogów, jednak nie miała wątpliwości, że nie byli sprzymierzeńcami. Podejrzewała, że Jodoboda zakpił sobie z ich drużyny, że posłał jej kolegów na poszukiwania czegoś, co koniec końców okaże się bezużyteczne. Zresztą sama również czuła się bezużyteczna, gdy tak bezczynnie czekała na powrót Tarika i pozostałych członków drużyny.

Jej ojciec powiedział, że Abeke, Rollan, Conor i ona sama są jego jedyną nadzieją. Tylko jak mogła pomóc Zhong, siedząc z założonymi rękami? Chwilami wręcz chciała, żeby ktoś ją zaatakował. Przynajmniej przestałaby się nudzić.

Wróciła do Rollana i przyjrzała mu się z troską. Dzięki leczniczej mocy Jhi czerwone plamy na jego twarzy nieco zbladły, ale chłopak nadal wyglądał na bardzo chorego. Meilin nie chciała nawet sobie wyobrażać, co będzie, jeśli rzekome lekarstwo z pałężyn nie zadziała.

– Mam nadzieję, że te nasiona ci pomogą – powiedziała głosem drżącym od napięcia, a potem aż podskoczyła ze zdumienia, gdy Rollan otworzył odrobinę jedno oko.

– Ja-esz… – szepnął.

W pierwszej chwili Meilin nie zrozumiała, o co mu chodzi, ale szybko się domyśliła, że to znaczyło „ja też". Uklękła obok kolegi i spytała:

– Chcesz wody?

Rollan pokręcił lekko głową. Nadal otwarte miał tylko jedno oko.

– Róci-aś… – wychrypiał.

Tym razem Meilin od razu odgadła, że chciał powiedzieć „wróciłaś".

– Nic nie mów – poprosiła. – Oszczędzaj siły.

– Zimno – westchnął Rollan, a jego głos był już całkiem wyraźny.

Meilin zmarszczyła brwi. Przecież polana znajdowała się w środku dżungli i – jak to zwykle w dżungli bywa – było tu bardzo gorąco. Mimo to wyjęła z plecaka koc i okryła nim chorego.

– Teraz lepiej? – zapytała z niepokojem, ale Rollan nie odpowiedział.

Jhi nachyliła się nad chłopakiem i znów zaczęła go lizać po głowie, a Essix wbiła w dziewczynę wyczekujące spojrzenie i zaskrzeczała żałośnie.

Meilin zastanawiała się gorączkowo, co może zrobić, żeby pomóc koledze. Opiekowała się nim, ponieważ towarzysze powierzyli jej to zadanie, ale tak naprawdę jej motywy były bardziej złożone. Rollan był krnąbrny i impulsywny, a jego poczucie obowiązku było zupełnie różne od tego, które wpojono jej samej. Jak dotąd nie przystał nawet do Zielonych Płaszczy! Mimo to Meilin była pewna, że gdyby ich role się odwróciły, Rollan znalazłby jakiś sposób, żeby jej pomóc. Wymyśliłby coś, żeby przynajmniej na chwilę poczuła się lepiej. Może tylko by ją rozśmieszył albo choć spróbował rozśmieszyć. Przecież czasami potrafił być naprawdę irytujący...

Od strony jednej z pobliskich kęp trawy dobiegł szmer. Był tak cichy, że ledwie słyszalny, lecz Meilin zerwała się natychmiast na nogi z kosturem w pogotowiu. Źdźbła poruszyły się lekko. Czy to tylko wiatr? Czy może ktoś skradał się ostrożnie za zieloną zasłoną?

Essix zakrzyczała, wzbiła się w powietrze na wysokość jakichś trzydziestu metrów i zawisła na niebie, obserwując zbliżającą się osobę albo zwierzę. Nie zaskrzeczała ostrzegawczo i nie zapikowała do ataku. Mimo to Meilin zacisnęła mocniej dłoń na kosturze i przyjęła pozycję obronną. Bez względu na to, co się kryło za trawą słoniową, była gotowa na spotkanie z każdym niebezpieczeństwem.

W zaroślach nie czaił się tygrys.

Była to Xue. Zgarbiona pod ciężarem swojego tobołka, rozgarnęła długie źdźbła i podeszła do Meilin.

– Xue! Nie przypuszczałam, że znów się spotkamy!

– Dlaczego? – zapytała kobieta.

– Hmm… po prostu się nie spodziewałam – odparła dziewczyna. – Co ty tutaj robisz?

– Sprzedaję Tergeshom garnki – wyjaśniła Xue. Odstawiła tobołek i oparłszy ręce na biodrach, wyprostowała się powoli. – Zbierają się tu o tej porze roku. W każdym razie dotychczas zawsze się tu zbierali – dodała, rozglądając się po pustej polanie.

– Wrócą tu jutro – odpowiedziała Meilin. – Moi przyjaciele wykonują właśnie zadanie wyznaczone przez Jodobodę, wodza Tergeshów.

– Tergeshowie i ich zadania! – sarknęła staruszka, po czym nachyliła się nad Rollanem.

Po sekundzie sokolica wylądowała tuż obok niej i wskoczyła na pierś chorego.

– Aha, już rozumiem. To dziecko należy do ciebie, Essix, prawda? – zapytała Xue. – Śmierć zmierzchu… niedobrze. Masz może nasiona pałężyny? – zwróciła się do Meilin.

– Nie. Ale czy to naprawdę lekarstwo? Pozostali poszli ich szukać...

– To jeden ze składników leczniczej mikstury – odparła staruszka. – Miał chłopak pecha, że zapadł na tę chorobę. Nabawił się jej od ukąszenia owada... Musimy go przenieść tam, bliżej głazu.

– Po co? – zdziwiła się Meilin.

– Dla ochrony przed deszczem – wyjaśniła kobieta, wskazując palcem niebo.

– Przecież deszcz jest tu ciepły – powiedziała z wahaniem dziewczyna. – Może jednak lepiej go nie ruszać?

– Dla niego ciepły nie będzie – odparła zdecydowanie Xue, po czym otworzyła swój tobołek i zaczęła czegoś w nim szukać.

Po chwili wyjęła starannie złożony arkusz natłuszczonego jedwabiu, wiązkę sznurka i kilka kołków namiotowych. Podeszła do głazu i zaczepiła wodoodporną tkaninę o róg kamiennego nosorożca, a następnie rozpostarła materiał nad ziemią, naciągnęła go i trzy pozostałe jego rogi przytwierdziła do gruntu kołkami.

– Weź go za nogi – nakazała dziewczynie i ujęła Rollana pod ramiona. – A ty, Essix, leć. Za ciężka jesteś.

Meilin była zaskoczona, że sokolica wykonała to polecenie: odleciała i usiadła na łbie kamiennego nosorożca. Wtedy zaniosły chłopaka do schronienia pod daszkiem z jedwabiu. Jhi podreptała za nimi, po czym wcisnęła się do prowizorycznego namiotu i usadowiła obok chorego, nie zostawiając miejsca dla nikogo więcej.

– He, he! – zarechotała staruszka. – Leniwa panda...
I wody nie lubi.

Ledwo zdążyły ułożyć Rollana wygodniej, gdy zaczęła
się ulewa. Nie spadły żadne pojedyncze krople zapowiadające deszcz. Po prostu woda chlusnęła z nieba nagle,
jakby na górze ktoś przewrócił olbrzymie wiadro.

Meilin kucnęła i oparła się plecami o głaz. Wcale nie
mokła przez to mniej, ale miała wrażenie, że kamienny
blok jednak w jakiś sposób ją chroni.

Xue zerknęła znowu do swojego tobołka, pogrzebała
w nim i wyjęła ze środka piękną parasolkę z woskowanego papieru, ozdobioną rysunkami przedstawiającymi
tańczącą mysz. Meilin zgadła od razu, że białe zwierzątko
z obrazków to zwierzoduch staruszki, który w tej chwili
albo był uśpiony, albo też krył się w specjalnej kieszeni
pod jedwabną bluzką kobiety.

– Tarik, czyli nasz mentor z Zielonych Płaszczy, mówił,
że słyszał o tobie – powiedziała niepewnie dziewczyna. –
Podobno wiele lat temu przeszłaś na emeryturę... Czy to
prawda?

– Członkowie Zielonych Płaszczy rzadko odchodzą na
emeryturę – odparła Xue. – Raczej wzięłam długi urlop.
Wygląda jednak na to, że czas wrócić do pracy. Młodzi są
dzisiaj słabo wyszkoleni.

– Przecież dopiero zaczynamy – zaprotestowała żywo
Meilin. – I wcale nie idzie nam tak źle. Zdobyliśmy Granitowego Barana... Żelaznego Dzika wprawdzie straciliśmy, ale... były ważne powody. I...

Staruszka zaśmiała się krótko i piskliwie i odparła:

– Nie mówię o was, tylko o Olvanie i Lenori. Pozapominali moje nauki.

– Aha.

Meilin nie przyszło nigdy do głowy, że Olvan i Lenori też byli kiedyś uczniami, w dodatku nie najwybitniejszymi, jak się okazuje... Trudno było jej to sobie wyobrazić.

– Powinnyśmy rozpalić ogień i zaparzyć herbatę – powiedziała Xue, żeby zmienić temat. – Trzeba zebrać na opał wyschnięte łajno nosorożców, zanim zanadto przemoknie. Dużo go tam, pod drzewami na skraju dżungli.

– Ja pójdę – zaproponowała Meilin i nie czekając, zerwała się na nogi.

– Tak, pójdziesz – stwierdziła staruszka.

Dopiero po dobrych paru minutach zbierania najbardziej suchego łajna, jakie udało jej się znaleźć, dziewczyna zaczęła się zastanawiać, dlaczego tak ochoczo się zgłosiła do tej pracy. W dawnych czasach nigdy nie przyszłoby jej do głowy, że będzie robić coś takiego. Problem nie tkwił w tym, że to zajęcie ją brzydziło – w końcu wyschnięty nawóz przypominał zwykłe drewno – po prostu szlachcianka z Zhong nie tylko pewnych rzeczy nie robiła, ona nawet nie zaprzątała sobie nimi myśli.

Meilin chciała jednak zyskać szacunek Xue, a jedynym sposobem, żeby to osiągnąć, było robienie tego co należy. Nawet jeśli tym czymś było zebranie łajna na opał.

Poza tym cieszyła się, że ma towarzystwo. Nie miotała się już jak lew w klatce. Miała z kim porozmawiać, a co więcej – nie musiała się zastanawiać dwa razy nad znaczeniem usłyszanych słów.

Uśmiechnęła się. Przyszło jej do głowy, że Rollan mógłby powiedzieć coś podobnego.

Ruszyła z powrotem w stronę kamiennego nosorożca. Deszcz zrobił się mniej ulewny, a po chwili ustał zupełnie. Chmury się rozstąpiły i Meilin dostrzegła pomiędzy drzewami na zachodzie rąbek tarczy słonecznej znikającej za horyzontem. Kierując się wskazówkami Xue, wybrała miejsce, gdzie głaz dawał osłonę przed wiatrem, i ułożyła suche łajno w piramidkę. Staruszka rozpaliła ogień z pomocą skrawka natłuszczonego papieru oraz nakręcanej zapalniczki. Urządzenie wyglądało jak zdobione jajko zbudowane z dwóch ruchomych części. Płomień pojawiał się po piętnastokrotnym przekręceniu połówek mechanizmu. Meilin pomyślała, że zapalniczka pasowałaby do zadziwiających przedmiotów, które kolekcjonował jej ojciec i które zawsze oglądała z ciekawością przez przeszklone drzwiczki jego szafki ze skarbami.

Xue rozstawiła kociołek na trójnogu i zaparzyła herbatę, a kiedy wypiły swoje porcje naparu, Meilin napoiła Rollana łyżeczką. Dzięki jej wysiłkom chłopak przełknął odrobinę płynu, ale nie odzyskał przytomności i nie powiedział ani słowa.

– Dobrze, że się nim opiekujesz – pokiwała głową z uznaniem staruszka.

– Przecież nie ma tu nikogo innego, kto mógłby to zrobić – odparła dziewczyna, wzdychając z frustracji.

142

– Troszczyć się można na różne sposoby.

– Chcesz powiedzieć, że powinnam zrobić dla niego coś więcej?

– Nie. – Kobieta przymknęła jedno oko, a drugim uparcie wpatrywała się w Meilin. – Sama wiesz, że samotność to też rodzaj śmierci.

Dziewczyna odwróciła wzrok. Nie do końca rozumiała słowa staruszki, ale miała wrażenie, że spojrzenie Xue przeszywa ją na wskroś, a to sprawiało, że czuła się niezręcznie.

– Jodoboda ostrzegł, że bez lekarstwa Rollan umrze przed jutrzejszym zachodem słońca – powiedziała.

– To prawda – przyznała kobieta. Wyjęła z tobołka słoik ryżu i suszone mięso, które zapewne miało kiedyś szczurze łapki i ogon, po czym zabrała się do przygotowywania posiłku. – Ale do jutrzejszego zachodu słońca jeszcze dużo czasu. Po kolacji pójdziemy spać. Na straży zostaną zwierzoduchy. Jhi, Essix i Zap.

Po tych słowach rozpięła swój kaftan i jej mysz wydostała się z kryjówki. Zwierzątko podbiegło do Meilin i wskoczyło na jej wyciągniętą dłoń. Dziewczyna uniosła białą, futrzaną kulkę do twarzy, żeby lepiej jej się przyjrzeć w gęstniejącej ciemności. Zap nie miał czerwonych oczu albinosa. Jego spojrzenie było głębokie i bardzo mądre.

– Kiedyś myślałam, że tylko duże i dzikie zwierzoduchy do czegoś się przydają – wyznała Meilin, ostrożnie opuszczając mysz na ziemię.

Zap w podskokach podbiegł do Jhi i usiadł tuż przy jej przedniej łapie, całkiem jak sługa czuwający u stóp cesarskiego tronu.

– Rozmiar jest nieważny – odparła Xue. – To przecież zwierzoduch, nie zwyczajne zwierzę! Prawdziwa siła nie ma nic wspólnego z rozmiarem czy dzikością.

– Chyba zaczynam się tego uczyć – stwierdziła Meilin, spoglądając w zamyśleniu na Jhi.

Ryż z mięsem zjadły w ciszy.

– Stworzenie prawdziwej więzi wymaga przejścia wielu prób – wróciła do tematu staruszka i sięgnęła po puste miski. – A teraz idź spać.

Meilin patrzyła na Rollana i myślała o jego ciętym języku oraz o tym, że został z Zielonymi Płaszczami, choć w przeciwieństwie do niej nie składał żadnych przysiąg. Po raz pierwszy zdała sobie sprawę, że uważa go nie tylko za równego sobie, lecz także za przyjaciela. Nigdy dotąd nie miała prawdziwych przyjaciół. Zawsze otaczali ją służący oraz dzieci oficerów niższych rangą niż jej ojciec.

– Czy naprawdę nic więcej nie mogę zrobić? – zapytała.

Xue pokręciła głową i rzuciła:

– Ale jeśli przyśni ci się coś niezwykłego, opowiedz mi rano.

– Czy można... przepowiedzieć przyszłość na podstawie snów?

– Nie. Po prostu lubię słuchać ciekawych opowieści.

Meilin oparła się niechętnie plecami o głaz. Ziemia była zbyt mokra, żeby się położyć. Na szczęście małe ognisko płonęło żywo i dawało odrobinę ciepła. Dziewczyna odczuwała jednocześnie zmęczenie i niepokój. Zatrzymała wzrok na Rollanie, który leżał w otoczeniu zwierzoduchów. Jego oddech był płytki i urywany. Znów przygniotła ją świadomość własnej bezradności. Wiedziała, że chłopak umrze, jeśli ich towarzysze nie wrócą na czas z nasionami pałężyny. Pocieszała się, że Rollan przynajmniej nie był teraz sam. I ona też nie była już sama.

– Nie powinnam była odchodzić – wyszeptała, częściowo do siebie, a częściowo do kolegi, choć nieprzytomny chłopak nie mógł jej usłyszeć. – Drugi raz nie popełnię tego błędu.

13

DRZEWA I CIERNIE

Abeke przebudziła się z niespokojnego snu. Pierwsze blade promienie świtu przebijały się przez chmury. Conor nadal drzemał, zwinięty w kłębek i przytulony do Briggana. Wilk popatrzył na dziewczynę z czujnie postawionymi uszami. Obok niego siedziała Uraza, wylizując futro z błota.

Ze zgrozy Abeke przestała oddychać. Zorientowała się, że nie tylko nie obudziła Conora na wartę, lecz także sama zasnęła. Przez całą noc byli z jej winy zupełnie bezbronni!

Wstała niepewnie i rozejrzała się dookoła. Znajdowali się na dużej wyspie. Wysokie drzewa, które widzieli podczas nocnej wędrówki, w świetle dnia wyglądały jeszcze potężniej – najniższe z nich musiało mieć dobrze ponad trzydzieści metrów. Majestatyczne rośliny rosły wzdłuż długiej grani, rozciągającej się jakieś sto metrów dalej. Skała wznosiła się na niecałe trzydzieści metrów ponad powierzchnię bagna.

Jednak, co najważniejsze, dziewczyna zauważyła, że na wyższych gałęziach drzew rosną kiście podłużnych owoców. To musiały być pałężyny!

Abeke odeszła kawałek od obozowiska, żeby dokładnie przemyśleć, co ma teraz zrobić. Mogła skłamać i powiedzieć Conorowi, że czuwała całą noc, a jemu pozwoliła się wyspać, albo też przyznać się do winy i wyjawić prawdę. Uważała się za doświadczoną łowczynię, przed którą czują respekt wszystkie zwierzęta sawann Nilo, a przecież zasnęła na warcie!

Kiedy wróciła do Conora i zwierzoduchów, chłopak rzucał się przez sen, jakby męczył go koszmar.

– Owce się nie pomieszczą! Co ty robisz? Nie tędy! Nie tędy! – mamrotał nerwowo.

Abeke się pochyliła i dotknęła ramienia kolegi, a ten usiadł gwałtownie z szeroko otwartymi oczami, chrapliwie łapiąc powietrze.

– Miałeś zły sen.

– Tak – potwierdził Conor, rozglądając się wokoło. – Owce... Śniło mi się, że... – Jego wzrok padł na Briggana, więc przytulił się do niego. – Zaraz, słońce już wzeszło. Co z naszą umową? Dlaczego pozwoliłaś mi spać?

„Tak łatwo byłoby skłamać – pomyślała Abeke. – On mi ufa...".

– Zasnęłam – wyznała. – Nie obudziłam cię dlatego, że sama spałam. Przepraszam. – Pochyliła głowę, czekając na wyrzuty.

Conor pokiwał poważnie głową.

– Czyli wartę pełniła Uraza razem z Brigganem?

– Tak.

– No to nie widzę problemu – uśmiechnął się chłopak. – Gdyby zagrażało nam jakieś niebezpieczeństwo, zwierzoduchy by nas obudziły. Nie martw się, nikomu nic nie powiemy. Zgoda?

– Zgoda – odparła Abeke po chwili wahania.

Conor wstał i zerknął kolejno na słońce, bagno i drzewa.

– Pewnie nie mamy czasu na śniadanie – powiedział bez specjalnej nadziei w głosie.

– Przed zapadnięciem zmroku musimy zdobyć pałężyny i wrócić do Jodobody – przypomniała dziewczyna, po czym wstała i zarzuciła na plecy swój łuk oraz kołczan. – Zjeść możemy w drodze.

– Niech będzie – zgodził się Conor, przecierając zaspane oczy, a Briggan, który przez całą noc czuwał, ziewnął przeciągle, ukazując dwa rzędy ostrych zębisk. – Tylko żeby te owoce rzeczywiście pomogły.

Abeke nie odpowiedziała. Miała nadzieję, że Jodoboda nie kłamał w sprawie lekarstwa dla Rollana. Miała również nadzieję, że Tarikowi i Lishay udało się odciągnąć krokodyle i wyjść bez szwanku ze starcia z nimi. Dobrze rozumiała, że zdobycie pałężyn to tylko połowa ich zadania. Kto wie, czy druga część misji, czyli powrót przez mokradła, nie okaże się trudniejsza i niebezpieczniejsza, niż mogliby się spodziewać.

Grań biegnąca w poprzek wyspy była wyższa, niż im się początkowo wydawało. Żadne z nich nie przypuszczało, że tak trudno będzie się dostać do drzew rosnących na jej szczycie. W połowie zbocza ścieżkę zagradzały gęste, cierniste krzewy. Nawet Brigganowi i Urazie nie udało się znaleźć przejścia przez tę przeszkodę, dlatego Abeke i Conor byli zmuszeni poszukać okrężnej drogi. Kiedy jednak wreszcie znaleźli przesmyk pomiędzy krzewami, okazało się, że prowadzi on ku kolejnej ścianie kłujących roślin.

– To jakiś labirynt – powiedział ze złością Conor. – Zupełnie jak to miejsce, o którym mówiła Meilin.

– Tamten labirynt był ogromny, a ten jest mały – odparła Abeke. – Te krzaki nazywają się chyba cierniosploty…

– Może i nie jest to las bambusowy, ale i tak pokonanie tych zarośli potrwa – zauważył ponuro chłopak. – A my nie możemy tracić czasu.

– Chyba jest sposób – powiedziała Abeke i wskazała drzewo rosnące na zboczu tuż za plątaniną cierni, odległe o jakieś dwadzieścia metrów. – Może któremuś z nas udałoby się z pomocą Granitowego Barana wskoczyć na najniższą gałąź tamtego drzewa?

Conor popatrzył w górę i ściągnął brwi.

– Mamy skakać nad tymi cierniami? – spytał z niedowierzaniem. – Jeśli się nie uda, marny nasz los… A nawet gdyby się udało, gałęzie tego drzewa nie wyglądają na szczególnie mocne.

– Mimo tego musimy spróbować. Nie mamy przecież czasu na błądzenie w poszukiwaniu przejścia pomiędzy cierniosplotami.

– No tak, masz rację – powiedział powoli chłopak. –
W takim razie spróbuję.

Abeke pokręciła głową. Zdjęła plecak z ramion i położyła na nim łuk i kołczan.

– To ja umiem najlepiej skakać i to ja jako ostatnia ćwi-
czyłam z talizmanem Granitowego Barana – przypomniała koledze. – Poza tym pomoże mi Uraza.

– Dam radę – upierał się Conor. – Zobaczysz. Obieca-
łem sobie, że już nigdy was nie zawiodę.

Abeke znowu pokręciła głową.

– Nie o to chodzi. Byłam na ciebie bardzo zła z powodu
Żelaznego Dzika… Ale po tym, co się stało ostatniej nocy,
już wiem, że wszyscy czasem popełniamy błędy.

– Mój błąd był poważny i… – zaczął Conor.

– Gdyby wczoraj w nocy podkradł się do nas krokodyl,
mój błąd również okazałby się poważny, bo nie stalibyś-
my tutaj, głupio spierając się o to, kto bardziej zawinił,
tylko oboje byśmy już nie żyli.

Conor spuścił na moment wzrok, a później spojrzał ko-
leżance w oczy.

– Zgoda – powiedział. – To ty najlepiej skaczesz… No
i czas ucieka. Drugiej szansy nie będzie.

Abeke przyjrzała się drzewu i ciernistym krzewom,
które ją od niego dzieliły. Oceniła, że jednym skokiem –
w dodatku bez rozbiegu, bo nie było na niego miejsca –
przyjdzie jej pokonać jakieś dwadzieścia metrów. Musiała przesadzić wybujałe, kolczaste zarośla i złapać się
gałęzi. Konar i tak pewnie się złamie, ale spowolni ją na

tyle, żeby mogła w miarę bezpiecznie zeskoczyć na ziemię. Tyle że zza zasłony cierni nie było widać, co jest na dole, a tam mogła na nią czekać jakaś przykra niespodzianka, na przykład kolejne pasmo kolczastych zarośli czy choćby ostre skały...

Uraza zawarczała gardłowo. Abeke oparła dłoń na łbie lamparcicy i powiedziała do niej:

– Będę potrzebowała twojej pomocy. Oraz talizmanu Granitowego Barana.

Kocica zarzuciła nerwowo ogonem, ale przestała warczeć. Abeke poczuła, jak jej mięśnie napełniają się siłą i zwinnością zwierzoducha. Dotknęła talizmanu wiszącego na szyi i zaczerpnęła także jego mocy.

Skoczyła. Z wrażenia zaparło jej dech. Wydawało jej się, że ziemia została daleko, daleko w dole.

Kiedy przelatywała wysoko nad zaroślami, usłyszała pełen podziwu gwizd Conora. Gwizd urwał się jednak w chwili, gdy osiągnęła szczytowy punkt nieprawdopodobnego skoku i wyglądało na to, że mimo wszystko nie uda jej się dosięgnąć drzewa. Rozpaczliwie zamłóciła ramionami, próbując się złapać upatrzonego konaru. Nie trafiła, ale zdołała na tyle zwolnić, żeby obrócić się w powietrzu i wylądować brzuchem na innej gałęzi.

Mocne uderzenie pozbawiło ją na moment tchu, ale to nie miało znaczenia – Abeke przepełniła ulga, że dotarła do celu i nie spadła. Z całych sił trzymała się konaru, lekko kołysząc się w przód i w tył. Kiedy odzyskała równowagę, pomachała Conorowi na znak, że nic jej nie jest.

A wtedy... gałąź odłamała się od pnia, ze straszliwym trzaskiem rozdzieranego drewna.

Przez sekundę Abeke wisiała w powietrzu, a później zaczęła spadać, desperacko wymachując rękami w poszukiwaniu czegoś, czego mogłaby się złapać.

– Abeke! – wrzasnął Conor, a Uraza miauknęła przeraźliwie.

Na szczęście na dole nie było ani ostrych skał, ani groźnych cierniosplotów z długimi, zielonymi igłami, a jedynie młode krzewy, więc ich kolce nie wyrządziły dziewczynie poważniejszej szkody. Przez dłuższą chwilę Abeke leżała wśród zarośli, usiłując złapać oddech, potem zaś zawołała do Conora i Urazy, żeby zaniepokojeni ciszą, przypadkiem nie próbowali się do niej przedostać.

– Nic mi nie jest! Zaraz wejdę po gałęziach i nazrywam pałężyn!

Gdy zadarła głowę i spojrzała na drzewo, zdała sobie sprawę, że jest ono znacznie wyższe, niż wydawało jej się z oddali. Okazało się nawet wyższe od głównego masztu Dumy Telluna, ale przynajmniej nie kołysało się na falach. Jego kora była szorstka i spękana, więc Abeke doszła do wniosku, że wspinaczka na pierwszy konar nie powinna być zbyt trudna.

Wreszcie odzyskała oddech, chwyciła pień i zaczęła ostrożnie podsuwać się w górę. Kiedy najniższa gałąź znalazła się w zasięgu jej ręki, Abeke sprawdziła, czy drewno wytrzyma jej ciężar. Konar sprawiał wrażenie w miarę mocnego, więc złapała się go i zwinnie podciągnęła.

Dalej wspinała się uważnie z gałęzi na gałąź. Szybko się przekonała, że jeśli źle postawi stopę albo oprze się całym ciężarem ciała na bardziej kruchym konarze, ten złamie się z trzaskiem.

– Jesteś już! – zawołał Conor, gdy Abeke znalazła się w jego polu widzenia. – Świetnie ci idzie!

Dziewczyna się nie odwróciła. Myśl o tym, że kolega jest tak daleko w dole, przyprawiła ją o dreszcz. Poczuła pokusę, żeby się poddać i wrócić bez pałężyn, więc znów dotknęła talizmanu Granitowego Barana.

– Ocal mnie, gdybym spadła – szepnęła, ale jej strach zaraz zamienił się we wstyd.

Wiedziała, że nie może myśleć o ciernistym gąszczu, który rozciągał się przy ziemi, i o tym, że z każdym ruchem jest coraz wyżej i wyżej. Jeśli skupi się tylko na szukaniu oparcia dla dłoni i stóp, nic jej się nie stanie.

Tak też zrobiła. Po wspinaczce, która zdawała się trwać wiele godzin, spojrzała w górę i zobaczyła owoce pałężyny rosnące w połowie gałęzi blisko szczytu drzewa. Owoców było sześć, czyli o dwa więcej, niż potrzebowała. Jednak Abeke nadal była zbyt nisko, żeby móc je zerwać.

Zachęcona tym, że cel jej wspinaczki był już blisko, zaczęła piąć się w górę ze zdwojoną szybkością i determinacją. Okrążyła pień, żeby się dostać jak najbliżej konaru z owocami, lecz nadal nie była w stanie ich dosięgnąć. Pomyślała, że gdyby udało jej się złamać gałąź, cała kiść spadłaby na ziemię. Dopiero co na własnej skórze przekonała się o tym, że przy ziemi zarośla były gęste, więc pałężyny powinny przetrwać upadek w prawie nienaruszonym stanie.

Jednak konar nie chciał się złamać. Abeke na przemian ciągnęła go do siebie i napierała na niego z całych sił, ale bez skutku. Mimo licznych prób nie udało jej się również strącić samych owoców.

Musiała wymyślić coś innego. W górze dostrzegła następną kiść pałężyn, która rosła nieco bliżej pnia. Może dałaby radę ich dosięgnąć i zerwać je pojedynczo... Jeszcze raz z frustracją szarpnęła za konar, ale ponieważ nie przyniosło to żadnego efektu, zaczęła się wspinać.

Znajdowała się teraz przynajmniej dwadzieścia metrów nad ziemią. Wyżej położone gałęzie trzeszczały pod jej stopami, jakby były jeszcze bardziej kruche niż te u dołu pnia. Dlatego Abeke przyśpieszyła i zaczęła sunąć w górę z mniejszą ostrożnością – chciała opierać się na każdym konarze jak najkrócej, żeby zminimalizować ryzyko, że drewno nie wytrzyma obciążenia.

Wtem gałąź, na której stanęła, złamała się w pół i Abeke spadłaby niechybnie, gdyby w porę nie udało jej się przeskoczyć na inną. Odłamany konar spadł, zaczepiając się o występy pnia i inne gałęzie, i z ogłuszającym łomotem runął na ziemię.

Abeke, wystraszona nagłym szarpnięciem i późniejszym hałasem, zaczęła się wspinać jeszcze prędzej i rozpaczliwiej. Kiedy dosięgła kiści pałężyn, wychyliła się i bardzo szybko zerwała kolejno cztery owoce, a następnie zrzuciła jeszcze jeden – na dobrą wróżbę. Potem natychmiast zaczęła schodzić, starając się trzymać pnia co najmniej jedną ręką za każdym razem, gdy przenosiła ciężar ciała z nogi na nogę.

Gdy znalazła się na wysokości jakichś ośmiu metrów nad ziemią, powoli zaczęła odzyskiwać spokój i z ulgą pomyślała, że niebezpieczeństwo minęło – jeszcze kilka chwil i stanie na dole cała i zdrowa. Jednak właśnie wtedy wydarzyła się katastrofa. W tym samym momencie złamały się dwie gałęzie. Jedna została Abeke w ręce, druga zaś usunęła jej się spod stóp. Trzask pękającego drewna zlał się w jedno z jej krzykiem – Abeke runęła w dół.

Poczuła, że łańcuszek z Granitowym Baranem ześlizguje się jej z szyi i zaczepia na nosie. Przez jedną szaloną sekundę wisiał na nim, a Abeke, wpatrzona zezem w dyndający amulet, siłą woli zakazywała mu spaść.

Ale talizman poleciał na ziemię – ostatecznie i nieodwołalnie, niczym gwiazda spadająca z nieba.

Gdzieś na dole Uraza miauknęła przejmująco, a wtedy Abeke poczuła niespodziewany przypływ mocy. Obróciła się w locie jak kot i zaczepiła jedną nogą o gałąź. Zakołysała się na niej, złapała drugiego konaru i przeskoczyła na trzeci, a potem z oszałamiającą zręcznością akrobatki zeskoczyła na ziemię. Sama nie mogła uwierzyć, z jaką gracją i płynnością dokonała tej sztuki.

Zaraz potem gorączkowo zaczęła rozgarniać zarośla w poszukiwaniu Granitowego Barana. Serce waliło jej jak młot. Przecież nie mogli stracić drugiego talizmanu! Conor miał przynajmniej powód, żeby oddać Zdobywcom

Żelaznego Dzika. Zgubienie amuletu Araxa przez zwykłą nieostrożność byłoby znacznie gorsze...

Wreszcie Abeke dostrzegła w krzakach błysk metalu. Łańcuszek zawisł na jednej z pałężyn. Dotknęła ręką zaciśniętego gardła i znowu zaczęła oddychać. Podniosła Granitowego Barana, założyła go na szyję i żeby skrócić łańcuszek, zawiązała na nim węzeł. Nie zamierzała dopuścić do tego, żeby talizman znowu się zgubił.

Odnalezienie owoców zajęło jej dobrych kilka chwil, a i tak odszukała tylko cztery z pięciu, które zrzuciła z drzewa. Ostatnia pałężyna musiała się stoczyć w dół zbocza i zniknąć w gąszczu cierniosplotów.

– Znalazłam cztery owoce! – zawołała, po czym zawinęła zdobycz w połę koszuli, a na wierzchu zapięła marynarską kurtkę. – Wejdę na drzewo i skoczę do was!

– Tylko uważaj! – odkrzyknął z niepokojem Conor.

Abeke zaczęła ponownie wchodzić na pień. Tym razem wspinaczka była znacznie trudniejsza i bardziej dokuczliwa. Mięśnie bolały ją po niedawnym wysiłku, nie wspominając o licznych siniakach, które nabiła sobie podczas upadku. Skoncentrowała się na tym, żeby poruszać się jak najostrożniej. Zdawała sobie sprawę, że skok nad ciernistymi zaroślami będzie wymagał nie tylko pomocy talizmanu i zwierzoducha, lecz także wszystkich jej sił.

Uraza najwyraźniej była świadoma ryzyka. Gdy Abeke znalazła się na gałęzi powyżej poziomu krzaków, zobaczyła, jak lamparcica miota się w dole niespokojnie, nie odrywając wzroku od drzewa.

– Nie ruszaj się! – zawołała do kocicy Abeke. – Nie chcę wpaść na ciebie!

Uraza się zatrzymała i przysiadła na zadzie. Conor wstrzymał oddech, a Briggan zamarł u jego boku.

Abeke spojrzała jeszcze raz na kolegę i zwierzoduchy, odetchnęła głęboko i skoczyła.

14

NADZIEJA

Meilin spoglądała na przemian na słońce i cień rzucany przez róg kamiennego nosorożca. Rollan, odkąd poskarżył się na chłód, nie wypowiedział ani jednego słowa. Czasami tylko dostawał dreszczy i szczękał zębami.

– Jest druga po południu – powiedziała. W miarę jak upływał czas wyznaczony drużynie przez Jodobodę, kończyła się również jej cierpliwość. – Może powinnam pójść i ich poszukać?

– Przyjdą – odparła Xue.

Meilin spojrzała na staruszkę.

Wiesz to na pewno? – zapytała. – Jesteś przekonana, że zdążą wrócić z pałężynami do wieczora?

– Tak.

– Skąd bierze się twój spokój? Miałaś jakąś wizję?

Xue pokręciła głową i odparła:

– Nie miewam wizji. Ale mam nadzieję.

– Nadzieję?! Nadzieja nic nie daje!

– W takim razie idź. Przecież cię nie zatrzymuję.

– Jak to?

Meilin popatrzyła na towarzyszkę z niedowierzaniem. Czy staruszka naprawdę pozwalała jej zostawić Rollana i pójść do dżungli na poszukiwania, które najprawdopodobniej okażą się bezcelowe?

Uświadomiła sobie, że nawet ona sama nie była przekonana o słuszności swoich zamierzeń. Tylko co innego jej pozostało?

Jhi czuwała ciągle przy Rollanie, na przemian liżąc go po głowie i trzymając łapę na jego piersi. Początkowo dzięki jej staraniom jaskrawoczerwone plamy na twarzy chłopaka ustąpiły, teraz jednak znowu pokryły policzki i czoło chorego, a co gorsza, objęły również całą szyję i głowę za uszami. Oddech Rollana był coraz bardziej urywany.

Serce bolało Meilin ze współczucia, jakby i ona sama zachorowała. Nie mogła siedzieć bezczynnie i patrzeć na śmierć przyjaciela.

– Naprawdę pozwolisz mi odejść? – zapytała.

– Oczywiście. Zbyt mi tu wygodnie, żeby wstawać, łazić za tobą i cię przekonywać.

To musiało być kłamstwo, bo siedzenie na twardej ziemi, nawet porośnięty trawą, wcale nie było przyjemne.

– W takim razie… idę. Zostaniesz tu i zaopiekujesz się Rollanem?

– Nigdzie się nie wybieram – odparła Xue. – Mam garnki do sprzedania.

– Jhi, ty też powinnaś zostać – zwróciła się Meilin do swojego zwierzoducha.

– Panda jest zbyt leniwa, żeby iść z tobą – zaśmiała się staruszka. – Chyba że pod postacią tatuażu.

Jej nonszalancja sprawiła, że Meilin poczuła się trochę głupio, jednak już podjęła decyzję i była gotowa do drogi. Jeśli Xue przypuszczała, że przekona ją do pozostania w obozowisku, ostentacyjnie nie próbując jej do tego namawiać, to się grubo pomyliła.

– Pójdę na skraj bagien – powiedziała Meilin. – Być może uda mi się ich stamtąd wypatrzyć.

Wzięła swój kostur i raz jeszcze spojrzała na Rollana. Wstrząsające nim dreszcze chwilowo ustały, więc chłopak, który leżał zupełnie bez ruchu, wyglądał prawie jak nieżywy.

– Jesteś pewna, że nic więcej nie możemy dla niego zrobić? – spytała jeszcze Meilin.

Xue pokręciła poważnie głową.

– W takim razie idę. Wrócę przed zmrokiem razem z resztą naszej drużyny – powiedziała dziewczyna. – I oczywiście z pałężynami.

Staruszka uśmiechnęła się lekko i rzuciła:

– Widzisz? Nadzieja to dobre i potężne uczucie.

Meilin nie czuła się szczególnie potężna, ale nie pozostało jej nic innego, jak wierzyć, że przybędzie z towarzyszami na czas.

Na skraju polany obejrzała się jeszcze pod wpływem nagłego impulsu. Czuła się dziwnie, ruszając w dżunglę bez Jhi. Od czasu Ceremonii Nektaru, która złączyła je ze sobą, ani razu się nie rozdzielały.

Panda podniosła głowę i ich oczy się spotkały.

– Opiekuj się nim – szepnęła dziewczyna.

Xue spojrzała w jej stronę, jakby usłyszała te słowa, ale to było przecież niemożliwe. Meilin się zarumieniła i odwróciła wzrok. Nigdy wcześniej nie zdarzyło jej się czerwienić, a i teraz raczej nie było ku temu żadnego powodu…

Gdy Meilin weszła do dżungli, Jhi pochyliła się znów nad Rollanem.

15

ZMIERZCH

A beke prawie się udało. Zabrakło jej raptem kilku metrów, więc wylądowała na skraju ciernistego gąszczu. Krzaki połamały się z trzaskiem, a ona potoczyła się aż na ścieżkę obok Conora. Jeden rękaw miała zakrwawiony, bo kolce rozdarły jej kurtkę i koszulę i rozorały skórę na przedramieniu.

Conor rzucił się do koleżanki, ale Uraza była szybsza. Miauczała i dotykała nosem twarzy Abeke, która powoli usiadła i przyjrzała się krwawiącej ręce.

– Bardzo źle? – zapytał Conor, gotów wydrzeć pasy tkaniny z własnego ubrania, żeby zrobić z nich opatrunki.

– To tylko zadrapania. Żadnych głębszych skaleczeń – uspokoiła go Abeke, rozchylając porwany materiał. – Za to mam pałężyny! – wykrzyknęła z radością.

Rozwiązała zasupłaną połę koszuli i pokazała koledze cztery owoce. Nie prezentowały się one zbyt okazale. Były zakrzywione, wyschnięte, miały długość palca wskazującego. Chłopak podniósł jeden i nim potrząsnął, a wtedy nasiona ukryte w środku zagrzechotały.

– Trzeba oczyścić twoje skaleczenia – powiedział, ale Abeke pokręciła głową.

– Lepsze suche i czyste ciernie niż bagienna woda – stwierdziła, po czym wstała z grymasem bólu na twarzy.

– Musimy natychmiast ruszać z powrotem, jeśli mamy zdążyć przed zapadnięciem zmierzchu.

– To prawda – przyznał Conor. – Hmm, mam ponieść twoje rzeczy?

– Dam sobie radę – odparła Abeke.

Sztywnym krokiem podeszła do swojego plecaka, schowała pałężyny do kieszeni i zarzuciła go na ramię. Potem schyliła się powoli po łuk z kołczanem oraz kij i utykając, skierowała się z Urazą w stronę bagna.

Conor zerknął na Briggana, który przechylił łeb na bok i wywiesił język.

– Wiem, wiem. Jest dużo twardsza ode mnie – przyznał z rezygnacją.

Podczas nocnej wędrówki przez mokradła kierunek wskazywały im gwiazdy, ale za dnia musieli polegać jedynie na położeniu słońca i na zmysłach Briggana. Niebo przesłaniały jednak chmury, z których od czasu do czasu kropił deszcz, a woda w bagnie była głęboka, więc wilk z trudem znajdował drogę. Z tego powodu Conor szedł przodem u boku swojego zwierzoducha, badał podmokły grunt kijem i regularnie sprawdzał, czy idą mniej więcej we właściwym kierunku.

Droga przez moczary była powolna i bardzo męcząca. Brodzili w wodzie zarośniętej trzcinami i co rusz grzęźli w błocie, które otaczało małe wyspy stałego gruntu. Ani Conor, ani Abeke nie byli w stanie poruszać się szybciej, choć ciągle zachęcali się wzajemnie do większego wysiłku. Nie brakowało im determinacji, lecz byli po prostu zbyt wyczerpani.

Choć nie mogli dostrzec słońca na niebie, wiedzieli, że już minęło południe. Conor chciał przyśpieszyć kroku. Próbował unosić stopy wyżej, ponad lepkie błoto i dzięki temu zyskać większą swobodę ruchów. Przecież Rollanowi nie pozostało wiele czasu. Gdyby się teraz zgubili albo spóźnili, czekała go śmierć.

Wtedy zobaczyli krokodyle. Wylegiwały się na błotnistym brzegu wysepki. Było ich sześć. Miały znacznie większe rozmiary niż zwykłe krokodyle słodkowodne, zamieszkujące okoliczne bagna.

– Krokodyle! – ostrzegł Conor i kucnął za kępą trzcin, tak że woda sięgnęła mu aż po pachy.

Abeke zaraz poszła w jego ślady. Ich zwierzoduchy zachowywały absolutną ciszę, lecz w razie konieczności były gotowe do natychmiastowego działania.

– Musimy spróbować przekraść się bokiem – szepnęła Abeke.

Conor wstał i sięgnął po topór, który niósł na plecach. Jeśli żeby dotrzeć do Rollana na czas, musiał ostrzem utorować sobie drogę przez stado gadów, nie zawaha się tego zrobić. Bez względu na ryzyko. Oczywiście wolałby mieć u boku Tarika i Lishay, ale od poprzedniego wieczora nie natknęli się nawet na najmniejszy ślad towarzyszy.

– Jest ich zbyt wiele, żeby się przekraść – uznał. – Ale jeśli je zaatakuję i odciągnę ich uwagę, ty zdążysz uciec.

Abeke wpatrywała się nadal w gady skupionym spojrzeniem łowczyni.

– Chyba zdechły – stwierdziła w końcu. – Zobacz, jeden leży na grzbiecie, a krokodyle nigdy tak nie śpią.

– Zwykłe krokodyle nie, ale może te potwory właśnie tak robią – odpowiedział chłopak, choć mimo wszystko poczuł przypływ nadziei.

Ruszyli ostrożnie naprzód. Conor przez cały czas trzymał topór w pogotowiu, jednak kiedy się zbliżyli do olbrzymich gadów, spostrzegł, że Abeke miała rację. Zwierzęta leżały w całkowitym bezruchu, z dziwacznie powyginanymi kończynami. Mięśnie, zastygłe po śmierci, utrzymywały ogony i łapy krokodyli w odrażających, karykaturalnych pozycjach.

– Może zabił je Tarik z Lishay – szepnął chłopak.

Jego towarzyszka pokręciła przecząco głową i odparła:

– Nie widać żadnych ran ani krwi.

– Rzeczywiście – przyznał Conor.

Zbliżali się do gadzich zwłok powoli, nadal zachowując ostrożność. Kiedy tylko znaleźli się na brzegu wysepki, Briggan i Uraza wbiegli pomiędzy truchła zwierząt, żeby je obwąchać. Wilk cofnął się natychmiast i potrząsnął łbem z odrazą.

– Popatrz na ich oczy – wyszeptał Conor.

Krokodyle zaczynały już cuchnąć, ich ślepia były wytrzeszczone, a z nozdrzy sączyła się czarna piana.

– Chyba podano im Żółć – oceniła Abeke, lecz zaraz umilkła, bo zawahała się, czy powiedzieć coś więcej na ten temat. – Kiedyś widziałam, jak działa ta substancja – dodała po dłuższej chwili. – Gdy byłam z Shanem i Zerifem. Podawali różnym zwierzętom coś, co musiało być Żółcią, i spierali się o to, ile jej użyć. Wydaje mi się, że ta substancja działa inaczej od Nektaru. Zwierzęta nie tworzą dzięki niej partnerskiej więzi z ludźmi. Zamiast tego zmieniają się w zniewolone potwory.

– Widziałaś to na własne oczy? – nie dowierzał chłopak.

– Nie widziałam, co się dzieje, kiedy zwierzę dostanie zbyt dużo Żółci – przyznała Abeke. – Za to byłam przy tym, jak podali ją psu. Wabił się Admirał. Był dobry i miły. A oni zmienili go w przerażającą bestię. Po tym przeobrażeniu stał się znacznie większy. Zdobywcy chyba nadal prowadzą takie eksperymenty... Żółć to trucizna. Trzeba ich powstrzymać!

– Zrobimy to. Mam nadzieję... – powiedział Conor. – Chodźmy, Rollan czeka. Musimy się śpieszyć.

– Uff, jak dobrze mieć twardy grunt pod nogami – westchnął Conor kilka godzin później, gramoląc się ociężale z bagna na błotnisty brzeg. – Sam się temu dziwię, ale bardzo się cieszę, że znowu jesteśmy w dżungli.

Abeke zerknęła niespokojnie na słońce.

– Spóźniliśmy się – stwierdziła gorzko. – Nie uda nam się na czas wrócić na polanę.

Chłopak również spojrzał na niebo. Znowu zasnuły je chmury, ale można było dostrzec za nimi pomarańczowy blask tarczy słonecznej chylącej się ku zachodowi.

Zawiedli. Pomimo desperackiego wysiłku nie mieli szans, żeby przed zmrokiem dotrzeć do głazu w kształcie nosorożca. Oboje byli u kresu sił. I choć najtrudniejsza część drogi była za nimi, czekała ich jeszcze mącząca przeprawa przez dżunglę. Nawet zwykły marsz przez ten gęsty, dziki las był wyczerpujący, a o bieganiu w ogóle nie było mowy. Do tego Conor zadręczał się wciąż myślami o Rollanie – chorym, trawionym gorączką, wstrząsanym dreszczami, a może nawet umierającym…

Stanął, a jego stopy natychmiast ugrzęzły w lepkim błocie po kostki.

– Nie zatrzymuj się! – burknęła Abeke, także idąc z trudem. – Nie możemy się teraz poddać!

– Ja się nie poddaję – odparł gniewnie chłopak. Był bardzo zmęczony, przemoknięty i rozdrażniony, na dodatek całą skórę poniżej ud pokrywały mu pijawki. – Ja myślę! Powinniśmy posłać naprzód Briggana i Urazę z pałężynami.

Wilk i lamparcica popatrzyli na niego uważnie.

– Mogą nieść w pysku po dwa owoce – ciągnął dalej Conor. – Nasze zwierzoduchy są od nas dużo szybsze, więc może dotrą na polanę, zanim będzie za późno.

Abeke wbiła w kolegę półprzytomnc spojrzenie. Była tak wyczerpana, że ledwo rozumiała, co do niej mówił.

– A jeśli jeźdźcy nosorożców uznają, że zadanie nie zostało wykonane, bo nie stawiliśmy się osobiście? – zapytała po chwili.

– Musimy zaryzykować. Nie mamy innego wyjścia – odparł Conor. – Jestem pewien, że jeśli dostaną pałężyny, nie pozwolą Rollanowi umrzeć...

– Nie podoba mi się to, że Uraza będzie... daleko ode mnie – powiedziała Abeke.

– Ja też nie chcę się rozdzielać z Brigganem. Ale to nasza jedyna szansa. To jedyna szansa Rollana!

Uraza przechyliła łeb i położyła łapę na kolanie Abeke, jakby chciała powiedzieć, że podziela zdanie Conora.

– Tak, oczywiście, masz rację – stwierdziła Abeke, po czym zdjęła plecak i wyciągnęła z niego owoce.

Oba zwierzoduchy chwyciły delikatnie w zęby po dwie pałężyny.

Conor mocno przytulił Briggana i szepnął:

– Wiem, że zdążycie.

Wilk warknął głucho, ale stanowczo, co zabrzmiało zupełnie jak „oczywiście, że zdążymy!".

Wielkie Bestie pomknęły naprzód. Pędziły znacznie szybciej, niż byliby w stanie biec ich młodzi partnerzy.

– Chodźmy – powiedział Conor, gdy Uraza i Briggan zniknęli im z oczu. – Czeka nas jeszcze długa droga.

Wyciągnął stopy z błota z mokrym mlaśnięciem, a wtedy dobiegł go z tyłu odgłos mrożący krew w żyłach. Przez sekundę myślał, że to może Abeke. Potem zrozumiał, że się pomylił.

Odwrócił się i w tym samym momencie wpadła na niego Abeke, która próbowała uskoczyć przed ogromnym, czerwonookim krokodylem. Gad wdarł się na błotnisty brzeg błyskawicznie, niczym strzała wystrzelona spod wody, i rzucił się na Conora, usiłując złapać go za nogę potężnymi szczękami.

Zanim krokodyl zatrzasnął wielką paszczę, chłopak wsadził mu w gardło swój kij. Drąg natychmiast pękł, ale Conor zdążył cofnąć nogę przed ostrymi zębiskami i odskoczyć do tyłu. Do obrony przed potworem oszalałym od Żółci i rozjuszonym ucieczką dwóch upatrzonych ofiar została mu tylko połówka złamanego drąga.

Abeke nie miała czasu wyciągnąć łuku. Wydobyła strzałę z kołczanu i chciała dźgnąć nią gada w oko, ale zanim zdążyła wycelować, ten zamachnął się łbem i odrzucił ją kilka metrów dalej.

Conor cisnął pęknięty kij w rozdziawiony pysk krokodyla i sięgnął za plecy po topór. Nie natrafił jednak dłonią na stylisko broni, bo plecak przekrzywił mu się na ramionach, tak że nie mógł jej chwycić. Rozpaczliwie spróbował wyciągnąć stopy z błota, żeby rzucić się do ucieczki, ale zdradliwe bagno nie chciało go wypuścić. Był stracony – stał z gołymi rękami naprzeciwko czerwonookiego gada, który znowu szykował się do natarcia z szeroko otwartą paszczą.

– Ha! – okrzyk Meilin odbił się echem po okolicy.

Dziewczyna uderzyła krokodyla w łeb okutym kosturem. Potwór obrócił się z wściekłością, żeby rozprawić się z napastniczką, dzięki czemu Conor zyskał kilka cennych sekund na to, żeby się wycofać i wyszarpnąć broń z plecaka.

Łup! Łup! Łup! – Meilin tanecznym krokiem przeskoczyła z rozmokłego brzegu na suchy ląd, zręcznie wymierzając kolejne ciosy. Krokodyl pruł zaraz za nią, rycząc szaleńczo i trzepiąc na boki ogonem.

Abeke napięła łuk i ruszyła za gadem, to samo zrobił ubłocony Conor z toporem w rękach.

Kiedy Meilin wbiegła na potężny pień powalonego drzewa, monstrum próbowało wspiąć się za nią. Jego potężne pazury rozorywały zbutwiałe drewno, a złowroga paszcza kłapała zawzięcie, niemal dosięgając stóp uciekającej dziewczyny.

Gdy gad podniósł się na tylne łapy, Abeke posłała strzałę prosto w jego gardziel, a Conor uderzył toporem. Cios był szybki i mocny, trafił monstrum w gardło.

Krokodyl rzucił się w tył i ruszył z powrotem w stronę wody, znacząc ziemię krwawym śladem. Zanim jednak dotarł do brzegu bagna, ugięły się pod nim łapy i padł martwy, a błoto wokół jego olbrzymiego cielska zaczęło przybierać kolor coraz ciemniejszej czerwieni.

Abeke usiadła tam, gdzie stała, i westchnęła głęboko, częściowo z wyczerpania, a częściowo z ulgi. Conor podszedł do niej i ciężko oparł się na stylisku topora. Meilin zeskoczyła z pnia. Nie było po niej widać żadnych oznak zmęczenia.

– A ty skąd się tu wzięłaś? – zapytał Conor.

– Poszłam was szukać – powiedziała Meilin. – Kiedy zobaczyłam Briggana i Urazę, wiedziałam, że musicie być gdzieś niedaleko. A potem usłyszałam krokodyla... Ale był wielki! Spotkaliście więcej takich olbrzymów?

– Dawno temu widziałam krokodyla generała Gara – rzuciła Abeke i pokiwała posępnie głową. – Był jakieś dwa razy dłuższy.

Conor zadrżał, słysząc te słowa, i nawet Meilin zrzedła nieco mina.

– Dzięki za pomoc, Meilin – odezwał się Conor. – Lepiej już chodźmy. Briggan i Uraza mają pałężyny, ale jeśli Rollan został sam, na nic się nie przydadzą...

– Nie został sam – odparła Meilin.

Ruszyli w dżunglę, a podczas drogi opowiadali sobie nawzajem o wydarzeniach ostatnich dwóch dni. Słońca nie było już widać zza drzew, choć jego promienie nadal mieniły niebo odcieniami zmierzchu. Conor był myślami przy Urazie i Brigganie. Miał nadzieję, że zwierzoduchy zdążą na czas.

16

POWRÓT JEŹDŹCÓW NOSOROŻCÓW

Kiedy Abeke, Meilin i Conor dotarli w końcu do celu, było już całkowicie ciemno. Polana wyglądała zupełnie inaczej, niż gdy Meilin opuszczała to miejsce kilka godzin wcześniej, żeby udać się na poszukiwania towarzyszy. Oświetlały ją papierowe lampiony, zawieszone na długich, bambusowych tyczkach. Dookoła centralnego głazu były rozstawione w kręgach namioty, obok których stały nosorożce przywiązane do solidnych, drewnianych kołków. Jeźdźcy rozsiedli się wokół kilku dużych ognisk, zajęci jedzeniem, piciem i rozmowami. Jodoboda stał na Głazie Ludu ze złotym pucharem w rękach.

Prowizoryczne schronienie, przygotowane dla chorego przez Xue, zniknęło. Meilin nigdzie też nie widziała Rollana. Wszystko zasłaniały namioty i nosorożce.

Ostatnią godzinę dziewczyna powściągała niecierpliwość i wędrowała przez dżunglę niemrawym tempem, bo jej wyczerpani przyjaciele nie byli w stanie iść szybciej, za to teraz ruszyła przed siebie zdecydowanym krokiem. „Rollan nie mógł umrzeć – myślała, a serce biło jej bardzo mocno. – Uraza i Briggan musieli przecież dotrzeć tu przed zachodem słońca. Rollan żyje. Musi żyć!".

Puściła się biegiem pomiędzy namioty i nosorożce. Zdjęta strachem, gorączkowo rozglądała się wokół, jednocześnie obawiając się tego, co może zobaczyć. W jej głowie rodziły się najczarniejsze myśli i przypuszczenia. Dręczyła ją wizja martwego Rollana leżącego w trawie i spętanej Essix, miotającej się obok niego. Prawie oszalała z rozpaczy...

Jodoboda zauważył dziewczynę pośród jeźdźców. Wzniósł puchar i gestem wskazał miejsce obok głazu. Meilin zwolniła i z trudem przybrała spokojny wyraz twarzy. Zobaczyła Xue, która z porcelanową czarką w dłoni siedziała na swoim tobołku. Spostrzegła też Jhi, której widok zaraz sprawił jej ulgę. A obok pandy...

Rollan siedział na ziemi i uśmiechał się jak półgłówek. Skóra na jego twarzy niemal odzyskała już zdrowy, różowy kolor. Jego ramię zajmowała Essix, zajęta czyszczeniem piór. Obok przysiedli również Briggan i Uraza, ale zerwali się z miejsc, gdy tylko zobaczyli swoich ludzkich partnerów.

Meilin zbliżyła się, przezornie zachowując ciszę aż do chwili, gdy była pewna, że głos nie odmówi jej posłuszeństwa. Sama do końca nie rozumiała, dlaczego jej gardło jest ściśnięte. Skąd to przejęcie i histeria? Przecież nie zwykła odczuwać tak gwałtownych emocji.

173

– Wyleczyli cię – odezwała się wreszcie. – Strasznie się cieszę.

– Nie tak bardzo jak ja! – odparł Rollan i uśmiechnął się do niej.

Meilin była pewna, że się rumieni. Zakłopotana własnymi uczuciami, opuściła głowę i popatrzyła na kolegę spod rzęs. Jeszcze przed chwilą się bała, że już nigdy nie zobaczy jego uśmiechu...

– Xue mi powiedziała, że gdybyś w porę nie dostarczyła Jodobodzie nasion, byłoby po mnie – ciągnął Rollan. – Dzięki!

– To nie moja zasługa, tylko Conora i Abeke – wyjaśniła Meilin, a dwoje towarzyszy, jakby przywołanych jej słowami, właśnie stanęło tuż obok.

– Nie zdobylibyśmy owoców, gdyby nie niesłychane akrobacje Abeke – podkreślił Conor.

– Ja zerwałam pałężyny, ale to Conor nas prowadził – powiedziała dziewczyna, wzruszając ramionami. – Zresztą nieważne, kto co zrobił.

– Mądra osóbka – skomentowała jej słowa Xue i przedstawiła się nowo przybyłym, którzy zerkali na nią ze słabo maskowanym zaciekawieniem.

Zap wystawił główkę spod kaftana kobiety i poruszył wąsikami na powitanie.

– Muszę usiąść, coś zjeść, a potem się umyć – rzuciła Abeke. – W tej właśnie kolejności!

– Pełny brzuch dodaje sił – stwierdziła staruszka. – Wszyscy powinniśmy coś zjeść.

174

Jednak zanim napełniono miski gorącą strawą, Meilin musiała powiedzieć towarzyszom coś ważnego, coś, co nie dawało jej spokoju od dłuższego czasu.

– Gdybym… gdybym nie odeszła, Jodoboda nigdy by was nie schwytał – zaczęła mówić, a w jej ustach brzmiało to jak szczere przeprosiny. – A ty, Rollan, być może byś nie zachorował.

– Akurat przed tym nic by mnie nie ustrzegło. Owady wprost nie mogły mi się oprzeć – odparł chłopak, udając powagę.

– Zauważylibyśmy, jak bardzo jesteś chory, gdybyśmy nie byli tak zajęci gniewaniem się na Conora – powiedziała z żalem Abeke. – Przez to uporczywe rozpamiętywanie starych błędów umknęły nam rzeczy naprawdę ważne.

– Za to, kiedy już działamy razem, naprawdę dobrze nam to wychodzi, co nie? – dodał z szerokim uśmiechem Conor. – Pamiętacie nasz plan z teatrem cieni? Wpadliśmy na ten pomysł wspólnie, choć wtedy nie zdawaliśmy sobie sprawy, że każde z nas miało swój wkład w ten genialny projekt. Meilin, gdybyś była wtedy z nami, poszłoby nam jeszcze lepiej.

Dziewczyna pokiwała głową. Abeke zdążyła jej opowiedzieć o tym, jak udało im się dostać do Xin Kao Dai. Nawet Rollan uważał, że plan był naprawdę dobry.

– Chyba czegoś się nauczyliśmy – stwierdziła Meilin.

– Już teraz jesteście uczniami pojętniejszymi od Olvana i Lenori – wtrąciła Xue i mrugnęła porozumiewawczo.

Przez chwilę członkowie drużyny uśmiechali się do siebie w milczeniu. Potem Abeke spojrzała na wodza Tergeshów, stojącego dumnie na głazie, i powiedziała:

– Dziękuję, że dotrzymałeś naszej umowy i sporządziłeś lekarstwo dla Rollana, Jodobodo.

– I tak bym go wyleczył – odparł brodacz, wznosząc złoty puchar w kierunku dziewczyny. – Zawsze mamy zapas nasion pałężyny, ponieważ trudno się ustrzec choroby zmierzchu, gdy się żyje w tym wilgotnym lesie. Członkowie mojego ludu nierzadko na nią zapadają.

– Co?! – zawołał z oburzeniem Conor. – Przecież my prawie zginęliśmy, szukając tych owoców!

– Takie było wasze zadanie – odpowiedział Jodoboda. – Uważam je za wykonane, więc spotka was za to obiecana nagroda. Po powrocie waszych dorosłych towarzyszy wskażemy wam drogę do Jeziora Słoniowego, żebyście mogli odnaleźć Dinesha.

– Jak to? To oni jeszcze nie wrócili? – zaniepokoiła się Abeke. – Co się mogło stać?

– Myślałem, że o tym wiecie – zdziwił się wódz.

– Dokąd poszli Tarik i Lishay? – zapytał zdezorientowany Rollan.

Abeke w skrócie opowiedziała o monstrualnych gadach i o zaganiających je ludziach z pochodniami. Jodoboda pochylił się i słuchał uważnie, a na jego ogorzałym czole pojawiła się głęboka zmarszczka.

– Zły to znak – stwierdził, gdy dziewczyna skończyła swoją relację. – Liczna grupa Zdobywców na bagnach...

Krokodyle przemienione trucizną w odrażające potwory... Nie sądziłem, że najeźdźcy już tu są, a już na pewno nie, że jest ich tak wielu. Pharsit Nang zawsze zostawiano w spokoju, podobnie jak nas...

– Jeden kamień jest tylko kamieniem – powiedziała Xue. – Ale wiele kamieni razem to już mur.

Jodoboda uśmiechnął się niewesoło.

– Wciąż nam to powtarzasz, matko, ale jeźdźcy nosorożców zawsze radzili sobie sami.

– To dlatego, żeście tacy uparci i ograniczeni – mruknęła staruszka.

– Musimy odnaleźć Tarika i Lishay – zarządził Rollan i niepewnie spróbował podnieść się z ziemi.

Xue położyła mu dłoń na ramieniu.

– My pójdziemy – oznajmił wtedy Conor w imieniu swoim i Abeke, choć już samo wypowiedzenie tych słów kosztowało go dużo wysiłku.

– Nie, ja pójdę – zgłosiła się Meilin.

Ogarnęły ją ponure przeczucia. Nie mogła się uwolnić od myśli o Tariku i Lishay, którzy być może wpadli w poważne tarapaty. Może byli ranni i nie mogli się wydostać z bagien pełnych krokodyli...

– Nie – zaoponował Jodoboda. – Dość już zrobiliście, nawet jak na członków Zielonych Płaszczy. Poślę swoich ludzi na poszukiwania... i na zwiady. Musimy wiedzieć, ilu Zdobywców kręci się na naszej ziemi.

Po tych słowach wódz zeskoczył z głazu i oddalił się zdecydowanym krokiem. Idąc wśród ognisk, wykrzykiwał co chwila imiona, a wywołani jeźdźcy przerywali jedzenie i stawali na jego wezwanie. Po kilku minutach trzydzieści nosorożców z ogłuszającym rumorem ruszyło przez dżunglę w stronę bagien.

– Zmęczeni młodzi powinni się posilić – powiedziała przytomnie Xue, wskazując duży kociołek z gotującą się strawą. – Mam tu pyszny bulion ze szczurów z pędami bambusa.

– Ze szczurów? – powtórzył słabo Conor.

– Jest dobry, naprawdę – uspokoiła go Meilin.

– Kiedyś już jadłam szczura – przyznała Abeke. – Chociaż wolę mięso antylopy. Mogłabym poprosić porcję tej potrawki?

Staruszka zakrzątnęła się z uśmiechem i przygotowała miski i łyżki dla wszystkich z wyjątkiem Rollana. Następnie nalała im zupę, która – jak się okazało – pachniała wprost wybornie. Conor podzielił się jedzeniem z Brigganem, ale Uraza kręciła nosem, gdy Abeke podsuwała jej swoją miskę.

– A dla mnie? Też jestem okropnie głodny – poprosił Rollan, ale Xue potrząsnęła głową.

– Do rana tylko płyny – odpowiedziała stanowczo. – A teraz odpoczywaj.

– No tak, zupełnie jak gdy żyłem na ulicach Concorby: jedzenia zawsze za mało – burknął chłopak, ale posłusznie położył się na trawie i owinął kocem.

Essix przysiadła obok jego głowy, skąd najwyraźniej nie zamierzała się ruszać niczym wierny strażnik. Rollan wyciągnął rękę i zwichrzył piórka sokolicy. Była to nowa oznaka zażyłości pomiędzy nimi. Essix przymknęła oczy i z zadowoleniem przyjęła pieszczotę.

Po sekundzie chłopak już spał.

– Chyba zrobię to samo co Rollan – stwierdziła Abeke, bo ledwo się trzymała na nogach. – Najpierw jednak muszę się umyć. Gdzie się myją jeźdźcy nosorożców?

– Jeźdźcy czekają na deszcz – odparła Xue i spojrzała na nocne niebo. – Taak, za jakieś dziesięć minut będzie padać – dodała.

– W takim razie może... może po prostu się położę... – wymamrotała Abeke i jak powiedziała, tak zrobiła.

Uraza ułożyła się obok niej i oparła łeb na wyciągniętych łapach.

– Mam nadzieję, że Tarikowi i Lishay nic się nie stało – szepnęła Meilin.

Podeszła do Rollana i Jhi i przyglądała im się przez chwilę. Panda posapywała spokojnie i miarowo, więc dziewczyna myślała, że zwierzę drzemie. Kiedy jednak usiadła obok, Jhi przesunęła się nieco i położyła ciężką łapę na jej nodze. Dotyk pandy przyniósł Meilin ulgę i wypełnił ją poczuciem bezpieczeństwa. Na jakiś czas ukoił też wszystkie jej obawy.

***

Poranek nie tyle zwyczajnie nastał, ile leniwie, stopniowo objawiał swoją obecność. Deszcz nadal padał, a światło słońca było zbyt słabe, żeby przebić grubą zasłonę chmur.

Wszyscy zbudzili się obolali od niewygody i przemoczeni. Pomimo deszczu ogniska rozpalone przez jeźdźców płonęły przez całą noc, ale Meilin szybko się przekonała, że suszenie przy nich ubrań nie miało wielkiego sensu: od strony ognia stawały się wprawdzie trochę mniej wilgotne, ale druga część pozostawała wciąż mokra.

Jeźdźcy ugościli ich śniadaniem, na które składały się placki ryżowe z grzybami. Gdy członkowie drużyny skończyli posiłek, zebrali się razem obok centralnego głazu, żeby uzgodnić dalsze działania. Ponieważ nie było wśród nich Tarika, oczy dzieci spoczęły na Xue, ale ta nie zamierzała im nic radzić.

– Jestem na urlopie – powiedziała, po czym wzięła swój tobołek i skierowała się ku obrzeżom obozowiska. – Poza tym mam garnki do sprzedania.

– Powinniśmy jak najszybciej ruszać na poszukiwania Tarika i Lishay – zaczęła naradę Abeke.

Meilin pokręciła zdecydowanie głową, pomimo że zaraz po przebudzeniu niepokój i obawy o bezpieczeństwo dwojga zaginionych towarzyszy powróciły do niej ze zdwojoną mocą.

– Powinniśmy raczej natychmiast odszukać Dinesha i przekonać go, żeby dał nam swój talizman – odparła. – Zdobywcy dotarli już na bagna, a na północy Zhong są ich całe zastępy i torują sobie drogę przez Bambusowy Labirynt. Chwilowo mamy nad nimi przewagę, ale najwyżej kilkudniową. Powinniśmy to wykorzystać.

– Meilin ma rację – przyznał Rollan.

180

Wyglądał już znacznie lepiej. Co prawda nadal był osłabiony, ale czerwone plamy całkiem zniknęły.

– Rozumiem, ale czy nie powinniśmy najpierw znaleźć Tarika i Lishay? – zapytał Conor.

– Jodoboda wysłał jeźdźców na poszukiwania – przypomniała Meilin. – Poza tym Tarik i Lishay na pewno chcieliby, żebyśmy kontynuowali wyprawę.

– A właściwie dokąd? – chciał wiedzieć Conor. – Czy ktoś rozmawiał dziś rano z Jodobodą? – spytał i rozejrzał się wokół.

Jego towarzysze również wyciągnęli szyje, próbując wypatrzyć przywódcę Tergeshów.

– Jest tam, przy ognisku – powiedział Rollan.

Ruszyli razem przez obóz we wskazanym kierunku. Kiedy Jodoboda zobaczył, że się zbliżają, odwrócił się w ich stronę ze słowami:

– Widzę, że nasi goście nie mogą się już doczekać, żeby udać się w dalszą drogę.

– Musimy dotrzeć do Dinesha, zanim zrobią to Zdobywcy – wyjaśniła mu Meilin. – Czy twoi ludzie znaleźli Tarika i Lishay?

– Już wkrótce się tego dowiemy – odparł mężczyzna i wskazał prowadzącą z dżungli ścieżkę, którą zbliżała się właśnie grupa jeźdźców nosorożców.

Kilkoro zwierząt niosło na grzbietach zwłoki swoich jeźdźców. Ruda broda Jodobody zadrżała, kiedy ten, gniewnie zaciskając szczęki, zwężonymi oczami obserwował nadchodzący zastęp.

Na jedną straszną chwilę członkowie drużyny wstrzymali oddech z trwogi. Okazało się jednak, że na końcu szeregu nosorożców szły dwie znajome postacie: mężczyzna z wydrą na ramieniu oraz kobieta z tygrysem u boku. Meilin poczuła przypływ ulgi.

– Moi jeźdźcy i wasi przyjaciele pokonali razem wiele krokodyli przemienionych trucizną w potwory, o jakich mówiliście mi wczoraj – powiedział Jodoboda, szybkim spojrzeniem oceniwszy sytuację. – Przysięgam, że Zdobywcy pożałują dnia, w którym przynieśli Żółć na nasze ziemie! – dodał gniewnie.

– Czy to znaczy, że będziecie walczyć razem z nami? – zapytała Meilin, mając nadzieję, że uda jej się namówić wodza do wysłania posiłków jej ojcu i ruchowi oporu.

– Od zawsze sami stawiamy czoła wrogom – odparł Jodoboda, kręcąc przecząco głową, więc na twarzy dziewczyny odmalowało się rozczarowanie. – Tergeshowie nie będą tolerować Zdobywców na swoich ziemiach.

– A czy w obliczu silnych i licznych nieprzyjaciół zmagasz się z nimi sam, czy też wzywasz swoich jeźdźców, żeby walczyli u twojego boku? – zapytała Xue, wychodząc zza grupy mężczyzn, zajętych oglądaniem patelni i kociołków.

– Nigdy się nie poddajesz, prawda? – odpowiedział brodacz, śmiejąc się. – Dobrze wiesz, że nasze tradycje są nienaruszalne, jak głaz nosorożca.

Xue fuknęła pod nosem.

– Uparci – mruknęła. – I ograniczeni.

Dowódca patrolu podjechał do Jodobody i rozpoczął z nim cichą rozmowę, a Tarik i Lishay zbliżyli się do reszty drużyny szybkim krokiem.

– Rollanie! Widzę, że wyglądasz znacznie lepiej – ucieszył się Tarik.

Był ubłocony, ale wszystko wskazywało na to, że nie odniósł żadnych obrażeń. Za to Lishay miała obandażowane ramię, a przez opatrunek przesączała się krew.

– Wiedziałem, że Abeke i Conor zdobędą pałężyny na czas! – dodał Tarik.

Gdy zauważył Xue, na chwilę stracił rezon, ale zaraz ukłonił się jej z szacunkiem.

– Ty zapewne jesteś Xue – powiedział. – Ja nazywam się Tarik.

– A ja Lishay – dodała jego towarzyszka. – To dla nas zaszczyt móc poznać tak sławną członkinię Zielonych Płaszczy, osobę…

– Z przeszłości? – dokończyła za nią staruszka.

– Chciałam powiedzieć osobę tak zasłużoną – sprostowała Lishay.

– Przyłączysz się do nas? – zapytał Tarik. – Twoje mądre rady bardzo by nam się przydały.

– Jeszcze nie teraz – odparła Xue. – Na północy ludzie czekają na moje garnki.

– Aha… – westchnął wyraźnie zawiedziony Tarik, po czym zwrócił się do Jodobody: – Jeźdźcy obiecali, że zabiorą nas nad Jezioro Słoniowe. Musimy wyruszyć natychmiast. Jak daleka czeka nas droga?

– Stąd do jeziora jest mniej niż dzień jazdy – wyjaśnił wódz. – Wyślę z wami patrol. Zanim jednak ruszycie na szlak, powiedz mi, gdzie są teraz czerwonookie krokodyle i ludzie Pożeracza.

– Mam nadzieję, że po starciach z nami rozpierzchli się po całych bagnach – odparł Tarik. – Rozbiliśmy ich główny oddział, a potem uderzaliśmy na mniejsze grupy... Byli tak zdezorientowani, że zeszłej nocy atakowali się wzajemnie. Wkrótce jednak znowu połączą siły. Poza tym są z nimi także inne zwierzęta odmienione trucizną, nie tylko ogromne krokodyle. Nie wiem, czym jest ta trucizna, ale...

– Abeke sądzi, że to Żółć – wtrącił Conor. – Zerif wspominał jej o miksturze, dzięki której Zdobywcy stwarzają swoje zwierzoduchy.

Abeke pokiwała głową i wyjaśniła:

– Kiedy z nimi byłam, widziałam na własne oczy, jak przeprowadzają na bezbronnych zwierzętach eksperymenty z Żółcią.

– Zatem wszyscy się przekonaliście, do czego zdolni są Zdobywcy – powiedziała poważnie Xue. – Żeby ich powstrzymać, wszystkie wolne ludy będą musiały zjednoczyć siły w walce.

– Będą nam też potrzebne talizmany Wielkich Bestii – przypomniał Tarik. – Obawiam się, że Zdobywcy mogli już dotrzeć nad Jezioro Słoniowe.

– Droga prowadząca nad jezioro jest dobrze ukryta, nie znajdą jej – odparł Jodoboda. – A teraz zjedzcie coś i opatrzcie rannych. Patrol poczeka, aż będziecie gotowi do wyjazdu.

– Pojedziemy na waszych nosorożcach? – zapytał Conor z ekscytacją.

– Mówisz tak, jakby było się z czego cieszyć – burknął markotnie Rollan.

Meilin przypomniała sobie, jak fatalnym jeźdźcem jest ich kolega, i nie zdołała powstrzymać śmiechu.

17

JEZIORO SŁONIOWE

Droga do Jeziora Słoniowego rzeczywiście była znakomicie ukryta. Jeźdźcy nosorożców poprowadzili grupę Zielonych Płaszczy ścieżką, która ciągnęła się wyżej i wyżej wzdłuż grani ginącej w coraz gęstszej dżungli. W końcu szlak zaczął przypominać wąski, zielony tunel, którego sklepienie tworzyły splątane korony drzew tropikalnych.

Jazda na nosorożcu zdecydowanie nie przypadła Rollanowi do gustu. Tutejsze nosorożce były może i mniejsze od tych z Nilo, ale niestety bardzo pękate, a Tergeshowie nie używali siodeł. Specjalnie dla pasażerów nienawykłych do jazdy wierzchem zawiązali liny pod brzuchami zwierząt. Rollan trzymał się jedną ręką liny, drugą zaś siedzącego z przodu jeźdźca i próbował ściskać nogami szorstką skórę wierzchowca, jednak było to bardzo trudne. Czuł się znacznie lepiej, ale jego nadwątlone siły ledwie starczały na to, żeby zdołał się utrzymać na grzbiecie nosorożca. Jeździec zmuszony był kilka razy prosić Rollana, żeby przestał go obejmować tak kurczowo.

– Trzymam się ciebie mocno tylko dlatego, że nie chcę spaść i narobić wstydu twojemu nosorożcowi – odpowiadał buńczucznie Rollan.

Reszta grupy sprawiała wrażenie zadowolonej z przejażdżki. Conor wydawał radosne okrzyki za każdym razem, kiedy jego wierzchowiec przesadzał zwalony pień drzewa, a Abeke zamieniła się nawet miejscami z jeźdźcem, który jej towarzyszył, i trzymała łańcuch służący do kierowania nosorożcem.

Tylko Meilin jechała w milczeniu, więc Rollan się zastanawiał, czy przypadkiem przyjaciółka nie skrywa entuzjazmu jedynie po to, żeby poprawić mu humor.

Rollanowi wydawało się, że wspinaczka w górę grani trwała całe wieki. W końcu jednak zaczęli zjeżdżać w dół, więc przestał się obawiać, że zsunie się z grzbietu nosorożca i wyląduje w błocie.

W połowie drogi wiodącej łagodnie do doliny wojownik jadący na czele szyku wybrał boczną i jeszcze bardziej zarośniętą ścieżkę. Trakt był tak wąski, że zwierzęta przeciskały się z trudem między ogromnymi, starożytnymi drzewami. Grunt stał się mniej podmokły, a bardziej skalisty, wokół rosło też mniej powojów i paproci.

Jakieś półtora kilometra dalej ścieżkę przegradzała ściana skalna. Nosorożec, który jechał jako pierwszy, zbliżył się do niej, po czym zniknął. Rollan, siedzący na kolejnym wierzchowcu, gwałtownie wciągnął powietrze i wystawił głowę ponad ramieniem jeźdźca, próbując zrozumieć, dlaczego się nie zatrzymują. Przecież poprzedzający ich nosorożec wpadł do jakiejś dziury albo stało się coś jeszcze gorszego!

Szybko jednak spostrzegł, że to, co z początku wziął za jednolitą skałę, było w istocie dwiema pionowymi ścianami. Tergesh, który przewodził kolumnie, wjechał na wąską ścieżkę pomiędzy tymi kamiennymi blokami. Droga wiodła stromo w dół i w ciemność.

– Jak daleko stąd do tego jeziora? – zapytał Rollan towarzyszącego mu jeźdźca. – Czy wkrótce będziemy na miejscu?

– Jezioro leży przed nami, jeszcze kawałek – powtórzył mężczyzna któryś już raz z rzędu.

– A czy na miejscu wykąpiecie nosorożce? – zagadnął Rollan, nie mogąc sobie darować małej złośliwości.

– Nosorożce się nie kąpią – odparł jeździec. – Ich zapach wywołuje strach w sercach naszych wrogów.

– Nie wątpię – przyznał Rollan, marszcząc nos.

Ścieżka schodziła w dół pod ostrym kątem i z każdym krokiem robiła się coraz mroczniejsza. Szlak miał mniej więcej trzy metry szerokości, a skalne ściany po obu jego stronach wyrastały na ponad sześćdziesiąt metrów. Choć niebo było bezchmurne, na dno kanionu prawie nie docierały promienie słoneczne.

Po pewnym czasie ścieżka zaczęła się wznosić. Nosorożce parskały z wysiłku, wspinając się po coraz większej stromiźnie, lecz nie zwalniały tempa marszu, a ich potężne mięśnie pracowały bez żadnych oznak zmęczenia. Choć trakt piął się w górę, odległość od szczytu kanionu wcale się nie zmniejszała, wręcz przeciwnie – skały sięgały coraz wyżej w niebo.

Po kilku godzinach takiej jazdy Rollan nabrał przekonania, że musieli pokonać już co najmniej pięćset metrów w górę, a nadal nie było widać końca traktu między dwiema pionowymi ścianami. Podczas monotonnej podróży pocieszał się, że przynajmniej powietrze stało się tu mniej wilgotne i duszne, co stanowiło miłą odmianę po parnej dżungli.

Wreszcie szlak zaczął się rozszerzać, bo ściany rozchodziły się powoli na boki. Nosorożce szły dalej parami, a jeszcze później – czwórkami, aż w końcu maszerowały po osiem w szeregu.

Urwiste skały po obu stronach drogi stawały się coraz niższe, a po kilkuset metrach zrównały się z traktem. Znaleźli się na otwartym terenie, przed nimi zaś rozciągało się jezioro. Nie była to bagnista sadzawka, lecz rozległy, błękitny zalew, wypełniający krater, pozostały być może po wygasłym wulkanie. Na środku lazurowej tafli znajdowała się wyspa, na której stała piramida schodkowa z szarego kamienia, zwieńczona kopułą.

Tergeshowie zjechali galopem na brzeg jeziora i gwałtownie zatrzymali wierzchowce, wzbijając w powietrze chmury piachu. Kiedy tuman opadł, Meilin zsunęła się bezwładnie z nosorożca i spadła na ziemię. Przez chwilę leżała oszołomiona, patrząc w niebo. Potem powoli wstała i rozejrzała się wokół. Zdziwiona, wodziła wzrokiem po ścianach krateru i po wyspie na środku jeziora.

– Meilin! Nic ci się nie stało? – Pierwszy znalazł się przy niej Conor, a Abeke i Rollan dołączyli tuż za nim. Dziewczyna nie odpowiedziała od razu. Nadal badała okolicę szklistym spojrzeniem. Najwyraźniej wciąż była oszołomiona po upadku. Rollan chwycił ją za ramiona i spróbował unieść do pozycji siedzącej, ale Meilin cofnęła się zdecydowanie i strząsnęła jego ręce.

– Co robisz? – zapytała, nagle zupełnie przytomna.

– Pomagam ci. Spadłaś z nosorożca.

– Spadłam...? – zapytała Meilin i pokręciła głową ze zdumieniem. – Musiałam chyba zasnąć...

– Obcy często mają trudności z utrzymaniem się na grzbiecie nosorożca – powiedział jeździec, z którym podróżowała dziewczyna. – Całe szczęście, że spadłaś na samym końcu szlaku.

Meilin zamrugała kilkakrotnie i potrząsnęła głową.

– Nic mi nie będzie – stwierdziła mocnym głosem. – Jesteśmy na miejscu?

– Oto Jezioro Słoniowe – odparł mężczyzna. – Przywieźliśmy was tu, jak nakazał Jodoboda. Teraz pora nam wracać.

Członkowie drużyny wzięli swoje plecaki i pomachali na pożegnanie odjeżdżającym Tergeshom. Rollan, choć nie był stworzony do roli jeźdźca, żałował, że patrol nie będzie im towarzyszył w poszukiwaniach Dinesha. Nie czuł się bezpiecznie na odsłoniętym terenie wokół jeziora.

– Domyślam się, że naszym celem jest wyspa – powiedziała Lishay.

Nad ich głowami przeleciała Essix, wydając z siebie przeciągły krzyk, i poszybowała na zwiady. Jhi wolała podróżować w stanie uśpienia, teraz jednak pojawiła się w błysku światła i spokojnym wzrokiem objęła samotną wyspę. Briggan chodził w tę i z powrotem wzdłuż brzegu i lustrował otoczenie swoimi jasnobłękitnymi oczami.

Zhosur i Uraza również przebudzili się z uśpienia i przez chwilę bawili się w ganianego, aż w końcu biały tygrys znudził się tymi harcami i siadł u boku Lishay.

Lumeo, która pokonała całą drogę na ramieniu Tarika, zsunęła się na ziemię i poszła nad wodę. Zamiast jednak jak zwykle natychmiast do niej wskoczyć, cofnęła się, zjeżyła sierść i zasyczała.

– O co chodzi, Lumeo? – zapytał Tarik, po czym dobył miecza i ostrożnie zbliżył się do jeziora.

Kiedy stanął przy swoim zwierzoduchu, spod przejrzystej tafli wyskoczyła żmijogłowa ryba, kłapiąc szczękami pełnymi zębów ostrych jak igły. Tarik krzyknął z zaskoczenia i ciął mieczem. Na brzeg upadły dwie drgające połówki wodnego stwora, które wojownik posłał kopnięciem z powrotem między fale. Nie minęła chwila i jezioro zapieniło się gwałtownie od dziesiątek podobnych żmijogłowych ryb, rozdzierających na strzępy i pożerających szczątki swojego pobratymca.

– Powinniśmy byli zabrać więcierze z Xin Kao Dai – zauważył ponuro Rollan.

– Nie dostaniemy się na wyspę wpław – powiedziała Lishay. – A nie widzę tu żadnych drzew, z których można by zbudować tratwę.

Rollan nie wypatrzył w pobliżu niczego, co mogłoby im pomóc pokonać jezioro. Zbiornik miał ponad półtora kilometra średnicy, ze wszystkich stron okalały go ściany krateru. Nigdzie nie było też widać żadnej ścieżki poza tą, którą przybyli.

Rollan zamrugał i nagle zaczął widzieć wyraźniej. Dostrzegał też kolory, do których nie był przyzwyczajony. Obraz pochodził od Essix. Sokolica udzielała mu już wcześniej daru nadludzkiego postrzegania, ale nadal nie przywykł do niezwykłych wrażeń, które odbierał dzięki więzi ze zwierzoduchem. Również i tym razem doznanic było nieprawdopodobne.

– Na wyspie są… ludzie. W każdym razie wydaje mi się, że to ludzie… – powiedział wolno, osłaniając oczy przed słońcem i spoglądając ponad wodą. – Mają dziwnie wielkie głowy, niepasujące do reszty ciała. Trzech z nich właśnie nas obserwuje… Stoją tam, u stóp piramidy, widzicie?

Pozostali członkowie drużyny też popatrzyli na wyspę. I oni zauważyli maleńkie postacie, które jednak znajdowały się zbyt daleko, żeby można było dostrzec jakieś szczegóły lub rozpoznać, kto lub co mieszka na lądzie na środku jeziora. Tajemnicze istoty przez pewien czas obserwowały grupę Zielonych Płaszczy, potem się odwróciły i zniknęły wewnątrz piramidy.

– Gdzieś tutaj musi być ukryta łódź – uznała Abeke. – O, tamta część krateru wydaje się jakaś inna...

– Masz rację – zgodził się Tarik, spoglądając na skalną ścianę odległą mniej więcej o sto metrów, która wyglądała tak, jakby została wygładzona. – Sprawdźmy to.

Z bliska zobaczyli wyraźnie, że ten fragment krateru został nie tylko wygładzony, lecz także pokryty skomplikowanymi płaskorzeźbami. Przedstawiały one słonia brodzącego w wodzie i rozpryskującego ją trąbą.

– Bardzo subtelne – zakpił Rollan. – No, teraz jestem pewien, że dotarliśmy nad Jezioro Słoniowe.

– To chyba nie jest zwykły obraz – powiedziała Meilin, po czym podeszła bliżej i przesunęła palcami po wyżłobionych liniach. – Niektóre z tych bruzd są znacznie głębsze od innych i zastanawiam się, czy... – Cofnęła się, żeby objąć wzrokiem całość, a następnie jeszcze raz przyjrzała się najgłębszym, ciemnym konturom. – Widać drzwi – stwierdziła w końcu. – Popatrzcie na bruzdy biegnące wzdłuż przedniej nogi słonia, w poprzek jego korpusu i w dół tylnej nogi, a potem wzdłuż jeziora. Pośrodku jest jeszcze jedna linia, dzieląca całość na dwa prostokąty... To podwójne drzwi!

– Być może masz rację... – przyznał Conor, drapiąc się po głowie. – Jeśli to rzeczywiście są drzwi, to bardzo precyzyjnie dopasowane. No a my nie wiemy, jak je otworzyć.

– Jeszcze nie wiemy – odparła Meilin. – Ale na pewno uda nam się rozwiązać tę zagadkę.

– Ukryte wejście zwykle można otworzyć, naciskając coś albo ciągnąc za jakąś dźwignię – odezwał się Tarik. – Jesteś bardzo spostrzegawcza, Meilin.

– Może oko słonia? – zastanawiał się Conor. – To najbardziej wystający element płaskorzeźby. Możemy sprawdzić, czy nie uruchamia mechanizmu.

– Podskoczę i spróbuję nacisnąć je kopnięciem – zaproponowała Abeke.

– Czekaj! – zatrzymał ją Rollan. – To może być pułapka. Oko jest trochę zbyt oczywiste, nie sądzisz? Powinniśmy nacisnąć je jakimś kijem. No i podczas tej próby nie ryzykowałbym stania naprzeciwko płaskorzeźby. Lepiej odsuńmy się na bok.

– Dałabym radę dosięgnąć go kosturem – powiedziała Meilin. – Gdybym stanęła, o, tam...

– Dobrze. Cofnijmy się wszyscy – zarządził Tarik.

Meilin poczekała, aż grupa się oddali na bezpieczną odległość, po czym wspięła się po ścianie krateru obok płaskorzeźby. Następnie wychyliła się i wyciągnęła kostur najdalej jak mogła, aż w końcu udało jej się nacisnąć wystający element. Oko słonia zapadło się w głąb ściany. Rozległ się głośny trzask i z ukrytych otworów wyleciało kilkanaście strzał. Gdyby Abeke spróbowała uruchomić mechanizm kopniakiem, z pewnością zostałaby trafiona.

– Dinesh chyba nie przepada za gośćmi – skomentował Rollan.

– Jeśli nie oko, to co innego? Wrota muszą się przecież jakoś otwierać – zastanawiała się na głos Abeke.

Stanęła przed płaskorzeźbą i raz jeszcze przyjrzała się jej badawczo, lecz żaden szczegół nie zwrócił jej uwagi. Zagadkę rozwiązała dopiero Lumeo, która wspięła się na ramię Tarika i zapiszczała mu coś do ucha.

– Oczywiście... – powiedział wojownik i wskazał maleńki element, mniejszy nawet od kciuka, znajdujący się wśród rzeźbionych fal, obok słoniowego ogona. – Łódź!

– Jak dla mnie przypomina to raczej banana – zadrwił Rollan. – Albo rozgniecionego owada.

– Te linie to wiosła, nie odnóża – zauważył Conor. – To rzeczywiście łódź.

– Chyba uda mi się ją nacisnąć, jeśli przejdę na drugą stronę – powiedziała Meilin.

Wspięła się na ścianę krateru na prawo od płaskorzeźby. Razem z nią wdrapał się Rollan, pozostali zaś cofnęli się na bezpieczną odległość.

Dziewczyna wyciągnęła ręce najdalej jak mogła, ale kostur ciążył jej w dłoniach, więc mimo wysiłków oraz zachęt ze strony kolegi nie była w stanie utrzymać kocówki kija na tyle nieruchomo, żeby nacisnąć maleńką łódź.

– Jhi! – zawołała. – Potrzebuję twojej pomocy!

Panda zbliżyła się nieśpiesznie i usiadła obok Meilin. Dziewczyna wzięła głęboki oddech i znieruchomiała. Rollan nigdy wcześniej nie widział, żeby była tak... spokojna? Nie, raczej opanowana. Jakby uleciały z niej całe napięcie i determinacja, pozostawiając jedynie harmonię.

Idealnie skupiona Meilin raz jeszcze wyciągnęła kostur i dotknęła nim maleńkiej, rzeźbionej łódki. Z wnętrza ściany krateru dobiegł rumor, z płaskorzeźby posypał się pył, a dwie połówki wrót powoli opadły na ziemię niczym most zwodzony.

– Zaczekaj! – ostrzegł Conora Tarik, bo chłopak gotów był już wejść do środka.

Z otworu wytoczyła się łódź długa na kilkanaście metrów, którą najprawdopodobniej wprawił w ruch mechanizm ukryty w jaskini. Kadłub był wykonany z ciasno splecionych trzcin, na dnie leżały długi maszt i wiosła. Wózek, na którym umieszczona była łódź, zaczął zjeżdżać w stronę jeziora po moście z kamiennych drzwi.

Rollan zeskoczył ze ściany krateru i złapał liny zwisające z kadłuba, żeby zatrzymać łódź i nie pozwolić jej odpłynąć bez pasażerów.

18

PIRAMIDA

K iedy Rollan z pomocą towarzyszy zatrzymał łódź, wejście na pokład było już łatwe. Za to zepchnięcie jej na fale okazało dosyć kłopotliwe, ponieważ nie można było stanąć w wodzie i odepchnąć łodzi od brzegu – wszyscy pamiętali o żmijogłowach czających się w toni.

Gdy już wypłynęli na jezioro, trzcinowy kadłub, który ze względu na brak kila był bardzo lekki, zaczął tańczyć na różne strony, targany podmuchami wiatru, więc cztery osoby musiały cały czas wiosłować, żeby łódź płynęła z grubsza w kierunku wyspy. Żmijogłowy kłapały ciągle zębami i próbowały gryźć pióra wioseł, które miarowo zanurzały się w wodę.

– Prąd jest silny – zauważył Tarik, który siedział przy drążku sterowym i uważnie oglądał ściany krateru. – Do jeziora musi uchodzić rzeka.

– Tam – wskazał Rollan, który czuwał na dziobie, wypatrując niebezpieczeństw.

Rzeczywiście, na północy widać było przesmyk, którym wpadały do zbiornika spienione wody szerokiego potoku. Essix zaskrzeczała na potwierdzenie słów chłopaka.

– To znaczy, że można się tutaj dostać drogą wodną – myślał na głos Tarik. – Coś w sam raz dla krokodyli...

– Ale przynajmniej dotarliśmy tu pierwsi – stwierdziła Meilin.

– Może uda nam się zdobyć talizman i opuścić ziemie Tergeshów, zanim Zerif i jego Zdobywcy w ogóle się dowiedzą, że tu byliśmy – dodał Conor.

– Wróżbita naszych nieprzyjaciół jest bardzo potężny – powiedziała Abeke, która również czujnie przepatrywała okolicę. – Chyba nie powinniśmy liczyć na to, że uda nam się stąd wymknąć niezauważenie.

– Uwaga, ci ludzie z wielkimi głowami znowu wyszli z piramidy – powiedział zaniepokojony Rollan. – Wydaje mi się, że oni mają głowy słoni! Nie, to nie może być prawda...

– Wiosłujcie dalej! – upomniał drużynę Tarik, kiedy wszyscy się odwrócili, żeby popatrzeć na dziwaczne postacie. – To tylko maski.

– Oprócz masek mają też łuki – zauważył Rollan – a za chwilę znajdziemy się w zasięgu strzał.

– Jeśli nas zaatakują, nie pozostaniemy im dłużni. Abeke, Lishay, do broni – zakomenderował Tarik.

– Zostały mi tylko trzy strzały, w tym jedna wygięta – stwierdziła kwaśno Abeke.

– Ja mam pięć – dodała Lishay.

– Na brzegu jest ze dwadzieścia osób – powiedział nerwowo Rollan. – Niektóre mają łuki... Napinają cięciwy!

– Wiosłujcie do tyłu! – krzyknął Tarik. – Spróbujemy z nimi paktować. Rollanie, przejmij ster.

Gdy Tarik i Rollan zamienili się miejscami, wojownik oparł stopę na rzeźbie słonia zdobiącej dziób, która stanowiła jeden z niewielu drewnianych elementów kadłuba, po czym przytknął dłonie do ust i zawołał:

– Jesteśmy członkami Zielonych Płaszczy! Przybyliśmy do Dinesha!

Jedna z postaci na brzegu zdjęła maskę. Była to kobieta w średnim wieku, o skórze pomalowanej na szaro.

– Słoń nie chce gości! Zawracajcie! – odkrzyknęła.

– Musimy się zobaczyć z Dineshem! – nie ustępował Tarik. – To bardzo ważne!

– Zawracajcie, bo będziemy strzelać!

– Jeśli wypuścicie strzały, staniemy do walki! – ryknął Tarik. – Nie chcemy przelewać waszej krwi! Należymy do Zielonych Płaszczy. Wszyscy jesteśmy Naznaczeni i są z nami zwierzoduchy! Nie będziecie mieli żadnych szans w starciu z nami. Wszyscy zginiecie!

– Zawracajcie! – ostrzegła raz jeszcze kobieta.

– Nie! Musimy porozmawiać z Dineshem!

Kobieta z powrotem założyła maskę i machnęła ręką. Na ten znak łucznicy stojący na brzegu wypuścili strzały, które pomknęły w stronę łodzi.

– Kryć się! – rozkazał towarzyszom Tarik, ale sam nie ruszył się z miejsca.

Obserwował lot strzał, a kiedy zaczęły spadać wyjął swój miecz, gotów odbijać je ostrzem w powietrzu. Na szczęście nie był do tego zmuszony, bo żaden z pocisków nie dosięgnął łodzi.

– Abeke, poślij strzałę w kierunku kobiety, z którą rozmawiałem. Celuj w nogi. Nie chcemy, żeby ktokolwiek niepotrzebnie tu zginął.

Abeke wraz z Lishay przeszły na burtę i stanęły na ugiętych kolanach, żeby mieć stabilną pozycję mimo kołysania fal.

– Celuję w lewą nogę, poniżej kolana – powiedziała Lishay.

– A ja spróbuję w prawą – odparła Abeke i starannie wymierzyła.

Obie cięciwy brzęknęły w tej samej chwili, a strzały poleciały znacznie bardziej płaskim torem niż te wypuszczone przez łuczników w maskach. Głośny wrzask oznajmił, że co najmniej jeden pocisk trafił w cel, a zaraz potem kobieta ze skórą pomalowaną na szaro padła na ziemię. Cztery postacie w maskach odłożyły łuki i wniosły ranną do wnętrza piramidy.

– Zostało piętnastu – skomentował wydarzenia Conor.

Tarik znowu przytknął do ust dłonie złożone w lejek i krzyknął:

– Nie chcemy z wami walczyć! Pozwólcie nam podpłynąć i pomówić z Dineshem!

W odpowiedzi na łódź spadł deszcz strzał. Tarik ściął dwie w locie, a Meilin odbiła kolejną kosturem.

– Jeszcze dwie strzały w nogi – rozkazał z westchnieniem wojownik. – Szkoda, że nie ma wśród nich nikogo rozsądnego.

– Przecież nie mogą wiedzieć, kim jesteśmy – zauważyła Meilin. – Pewnie biorą nas za Zdobywców.

– Raczej za zwiadowców – poprawił ją Rollan. – Jest nas tylko sześcioro, no i płyniemy łódką z trzciny...

Abeke i Lishay strzeliły ponownie i po chwili sześć osób w maskach zaniosło do piramidy dwójkę rannych. Łuczników zostało zaledwie trzech, a męstwa starczyło im tylko do czasu, gdy Lishay i Abeke zaczęły znowu napinać cięciwy. Wówczas podjęli mądrą decyzję i schronili się w środku piramidy.

– Szybko, przybijajmy do brzegu, zanim przybędą posiłki – zarządził Tarik.

– Mają kiepskie łuki, to dlatego ich strzały nas nie dosięgły. Ale nie należy zakładać, że to ich jedyna broń – ostrzegła Lishay.

– Porozmawiajmy z nimi – powiedziała Abeke, której nie podobało się strzelanie do ludzi nieposiadających odpowiedniego oręża, żeby się bronić. – Jestem pewna, że będą rozsądni.

– Kim oni właściwie są? – zastanawiał się Conor.

– To chyba kapłani – odparł Tarik. – Czczą Dinesha jak bóstwo. Ludzie często oddają hołd Wielkim Bestiom, choć one same raczej nie przywiązują do tego wagi.

Tuż przed piramidą, na brzegu wyspy stał drewniany pomost, do którego przywiązali łódź. Zeszli na ląd ostrożnie, z bronią w rękach, w każdej chwili gotowi do walki. Nigdzie nie było jednak widać słoniowych masek, a wielkie drzwi z brązu, prowadzące do wnętrza piramidy, były zamknięte na głucho.

Rollan posłał Essix na poszukiwania innego wejścia do budowli, a Tarik mocno załomotał w drzwi.

– Jesteśmy przedstawicielami Zielonych Płaszczy! – zawołał. – Przybyliśmy pomówić z Dineshem! Nie zrobimy wam krzywdy!

Nikt się nie odezwał, olbrzymie drzwi pozostały zamknięte.

– Nic dziwnego, że nie chcą z nami rozmawiać – uznał Rollan. – Przed chwilą postrzeliliśmy troje z nich... Eee, chwileczkę... Essix ma dla nas jakieś informacje.

Sokolica zniżyła lot i zatoczyła koło nad głową chłopaka, po czym znów wzbiła się wysoko w powietrze.

– Chodzi o kopułę budowli – ciągnął dalej Rollan. – Wydaje mi się, że Essix znalazła inne wejście!

– Dobra robota – powiedział Tarik i nie tracąc czasu, zaczął się wspinać na piramidę.

Za nim ruszyły Meilin i Abeke, dalej Rollan i Conor, a szyk zamknęła Lishay. Wszystkie zwierzoduchy, poza Essix, były w stanie uśpienia.

Ściany piramidy zbudowano w kształcie gigantycznych schodów – każdy stopień miał ponad metr wysokości. Przy odrobinie wysiłku Abeke była w stanie podciągnąć się na kolejne piętra budowli. Według jej rachuby stopni było trzydzieści dziewięć. Miała nadzieję, że Rollan, który nie wydobrzał całkowicie po ciężkiej chorobie, zdołał się wdrapać na szczyt. Chłopak zatrzymał się na dłużej na czwartym schodku, więc Conor wyciągnął do niego dłoń, a Rollan przyjął pomoc z wyraźną wdzięcznością.

Tarik przystanął na piętnastym stopniu, żeby zebrać siły na dalszą drogę, i spojrzał w stronę jeziora.

– Patrzcie! – wykrzyknął.

W przejrzystej toni zaroiło się od ciemnych sylwetek, płynących od strony ujścia rzeki. Były ich dziesiątki i były naprawdę ogromne.

– Krokodyle! – zawołała Abeke. – Zdobywcy atakują wyspę! Ale przecież żmijogłowy... – nie dokończyła zdania, bo nagle coś zatrzepotało w wodzie.

Wokół dużych, podłużnych kształtów, widocznych płytko pod taflą jeziora, zaroiły się małe, szybkie stworzenia, a na powierzchni fal pojawiła się krwawa piana. Nie trwało to jednak długo. Każdy z krokodyli zabijał kilka żmijogłowów jednym kłapnięciem pyska, a ostre zęby mięsożernych ryb były zbyt słabe, żeby przebić prawie pancerną skórę monstrualnych gadów. Jedynie kilka mniejszych krokodyli padło wskutek zmasowanego ataku i ich truchła unosiły się bezwładnie na wodzie brzuchami do góry. Mimo to żmijogłowy atakowały nadal, rozbryzgując krwawą breję, w którą zmieniło się jezioro. Krokodyle były tak oszołomione Żółcią, że nawet nie próbowały pożerać ryb, tylko płynęły do celu.

– Na krawędzi krateru stoją jacyś ludzie – zauważył Rollan. – To chyba żołnierze.

– Są z nimi zwierzoduchy – dodał Conor, który obserwował odległy brzeg, osłaniając oczy przed słońcem. – Wyglądają mi na Zdobywców.

Abeke mogła dojrzeć jedynie malutkie postacie, które ustawione wzdłuż skraju krateru zrzucały w dół liny.

– Jak im się udało tutaj dotrzeć? – zdziwiła się.

– Nie wiem. – Meilin pokręciła głową. – To chyba ci sami żołnierze, którzy zaatakowali mojego ojca w Forcie Południowym, ale... żeby dostać się tutaj tak szybko, musieliby iść tą samą drogą co ja, czyli przez labirynt!

– Mam nadzieję, że Essix rzeczywiście znalazła drugie wejście do piramidy – powiedział ponuro Tarik. – Chodźmy!

Członkowie drużyny znowu zaczęli się wspinać po schodach, w razie potrzeby pomagając sobie wzajemnie. Jednak kiedy już dotarli do górnej platformy, znajdującej się u podstawy kopuły, nie zobaczyli żadnych drzwi. Sklepienie wyglądało jak olbrzymi, szary głaz, znacznie większy od każdego z kamieni użytych do budowy stopni piramidy. Kopułę pokrywały dziwne zawijasy i linie, które wyglądały niemal jak mapa świata.

– Nabrałaś nas, Essix? – zganił sokolicę Rollan. – Jeśli wejście jest pod tym głazem, nigdy nie uda nam się...

Sokolica, która krążyła nad nimi w górze, zaskrzeczała z oburzeniem.

– Nie rozumiem – przyznał chłopak, patrząc przepraszająco na towarzyszy. – Jestem pewien, że według Essix wejście jest gdzieś tutaj...

– Musimy je szybko znaleźć – powiedziała Meilin. – Krokodyle są już w połowie jeziora, a przecież są tak olbrzymie, że na pewno zdołają się wdrapać na sam szczyt piramidy!

– Może Briggan znajdzie drzwi – odezwał się z nadzieją Conor i w błysku światła wypuścił go z uśpienia.

Wilk podszedł do głazu, obwąchał go dokładnie, a potem usiadł i wlepił niebieskie oczy w swojego partnera.

– Briggan też uważa, że to tutaj – zdumiał się Conor. – To znaczy niezupełnie. Raczej przekazuje mi wrażenie, że jesteśmy w miejscu, w którym powinniśmy być...

Odsunął się od kopuły, żeby objąć ją wzrokiem, i zaczął się głowić, jakie jest rozwiązanie zagadki dotyczącej drugiego wejścia do piramidy. Rollan zrobił to samo, a Essix rozkrzyczała się na dobre. Jej wizgi brzmiały jak ptasia wersja przekleństw. Abeke przyzwała Urazę, która popatrzyła na dziewczynę zdziwiona, jakby nie pojmowała, dlaczego ludzie nie rozumieją czegoś całkiem oczywistego.

– Pokaż nam to, czego nie widzimy – poprosiła Abeke.

Lamparcica podeszła do kopuły, uniosła przednie łapy i przejechała pazurami po głazie. Posypały się iskry, a w powietrze uniosło się coś, co przypominało smużkę szarego dymu.

Wtedy rozległ się przeraźliwy łoskot, od którego zatrzęsła się cała piramida, i wszyscy wylądowali na stopniu poniżej górnej platformy. Uraza wycofała się pośpiesznie i wyczekująco wpatrzyła w głaz.

„Kolejna pułapka – pomyślała Abeke. – A gdyby kopuła się zawaliła i zniszczyła budowlę?".

Zrobiła krok do tyłu, straciła równowagę i upadła. Kiedy spróbowała wstać, między jej nogi zaplątała się Uraza, przez co znowu się przewróciła na kamienny stopień.

I wtedy to się stało.

Abeke patrzyła w górę, oniemiała ze zgrozy i osłupienia. Na jej oczach ogromny głaz uniósł się powoli i zaczął prostować. Tajemnicze linie i bruzdy na jego powierzchni powiększyły się, pogłębiły i po chwili zmieniły w wyłom między olbrzymim korpusem i kończynami. Najpierw wszyscy zobaczyli trąbę dorównującą długością pniom najwyższych drzew w dżungli. Potem ukazała się potężna stopa, a zaraz po niej druga, która wsparła się na najwyższym stopniu piramidy...

Na szczycie budowli stał gigantyczny słoń, górujący nad całym otoczeniem.

Po chwili od ścian krateru odbiło się echem dudnienie wywołane stąpnięciami zwierzęcia. Wielka Bestia odwróciła się w stronę przybyszów i zmierzyła ich straszliwym spojrzeniem. W powietrzu świsnęły ciosy – długie na ponad dwanaście metrów i wyglądające na bardzo ostre.

– Co mam zrobić, żebyście zostawili mnie w spokoju?! No co?! – zaryczał Dinesh.

19

DINESH

Meilin pierwsza odzyskała głos. Rollan miał całkiem ściśnięte gardło. Nie tyle od chmury kurzu, który wzbijał się w powietrze przy każdym kroku Dinesha, ile raczej ze strachu przed zmiażdżeniem przez którąś z ogromnych nóg słonia, przebiciem monstrualnym ciosem... albo choćby przed tym, że olbrzymie zwierzę chwyci go trąbą i połknie w całości.

– Przerwaliśmy ci odpoczynek z ważnych przyczyn – odpowiedziała Meilin, kłaniając się nisko. – Do Jeziora Słoniowego wpłynęły krokodyle otrute i przemienione w monstra przez Zdobywców, którzy służą nowemu Pożeraczowi. Jesteśmy ambasadorami Zielonych Płaszczy i towarzyszami Czworga Poległych. Potrzebujemy twojej pomocy! – Po tych słowach przyzwała Jhi, która usiadła na stopniu obok niej.

Przy pandzie stanęli zaraz lamparcica i wilk, sokolica zaś zatoczyła koło nisko nad piramidą i głośno zaskrzeczała.

Dinesh się nachylił. Z tak niewielkiej odległości gigantyczny słoń robił porażające wrażenie. Cała piramida zajęczała zgrzytliwie pod jego ciężarem. Rollan był pewien, że poczuł, jak kamienie przesuwają mu się pod stopami.

– Rzeczywiście, twoją towarzyszką jest Jhi. A to Uraza, która śmiała zakłócić mój spokojny sen. W górze widzę Essix. Jest wyniosła jak zwykle. I oczywiście Briggan, który zapewne wypatruje czegoś albo kogoś odpowiedniego do pogryzienia... Tak, zauważyłem wasze zwierzoduchy. Są małe, ale przypuszczam, że mogą urosnąć.

– Czas ucieka, Dinesh – odezwał Tarik. – Jesteśmy otoczeni, i to nie tylko przez krokodyle, lecz także przez całą armię ludzi i zwierzoduchów. Oni nie przyszli tu rozmawiać, tylko rabować.

– Rabować? Co takiego?

– Twój talizman – wyjaśnił Rollan, w końcu odzyskawszy mowę. – Łupkowego Słonia.

– Rozumiem – zadudnił gromko Dinesh. – Jednak nie tak łatwo mi go odebrać. Ale i wy przybyliście tu po talizman, czyż nie?

– Tak – potwierdziła Abeke. – Jest nam potrzebny do walki z Pożeraczem.

– Zatem mówicie, że Pożeracz wrócił? – upewnił się słoń. – A Kovo i Gerathon? Zostali wypuszczeni ze swojego więzienia?

– Tego nie wiemy – przyznał Tarik. – Pewne jest, że nieprzyjaciel urósł w siłę. Zajął wiele krain, a słudzy Pożeracza poszukują talizmanów. Mają już Żelaznego Dzika.

– A wy macie Granitowego Barana – zauważył Dinesh, patrząc na Abeke, jakby wyczuwał amulet.

– Twój talizman jest nam rozpaczliwie potrzebny – powiedział Conor. – Gdybyś nam go oddał, moglibyśmy...

– Uciec przed krokodylami i żołnierzami Pożeracza? – przerwał mu słoń.

– Użyć go, żeby z nimi walczyć – sprostowała Abeke.

– Hm, być może źle was oceniłem – powiedział Dinesh i westchnął ciężko.

Potem odwrócił się i spojrzał na zbliżające się krokodyle oraz na północną ścianę krateru, gdzie zastępy żołnierzy Pożeracza przygotowywały się do przeprawy przez jezioro. Wokół całego brzegu wisiały sznurowe drabinki oraz liny, a na wodę spuszczano właśnie łodzie. Były to długie, lekkie kanu, które Zdobywcy musieli nieść dziesiątkami kilometrów, najpierw przez Bambusowy Labirynt, a później przez dżunglę.

– Dasz nam swój talizman? – zapytał cicho Conor.

Słoń się poruszył, a każdemu jego stąpnięciu towarzyszył huk, jaki wydają zderzające się kamienie.

– Prosisz o wiele – powiedział. – My, Wielkie Bestie, i nasze talizmany jesteśmy jak dwie strony jednej monety, jak owoce z jednego drzewa... Oddanie talizmanu oznacza oddanie części siebie. Jednak wiem, że kiedy nadchodzi czas zmian, wszyscy muszą się z nimi zmierzyć na swój sposób. Niektórzy uciekają, jak Suka, która się schroniła w swoim lodowym grobowcu... Choć nie jestem pewien, czy w jej wypadku rzeczywiście chodziło o ucieczkę.

– Suka? Niedźwiedzica polarna? – upewnił się Tarik. – Jest zamknięta w lodowym grobowcu?

– Tak. W każdym razie takie są ostatnie wieści, jakie o niej otrzymałem. Ale nie mam najświeższych informacji ani o moich pobratymcach, ani o świecie.

– A teraz świat upomniał się o ciebie, czy ci się to podoba, czy nie – powiedział Rollan. – Za jakieś pięć minut będą tu setki potworów stworzonych przez Żółć, a za nimi nadciągnie armia wrogów. Czy w tej sytuacji oddasz nam Łupkowego Słonia?

– Pozwolę, żeby zadecydował za mnie los – rzekł z zadumą Dinesh. – Zobaczymy, czy nadal będziecie wśród żywych, gdy nastanie wieczór. Nie zostawię was jednak zdanych na samych siebie. Powiem ludziom, którzy się uważają za moich kapłanów, żeby walczyli u waszego boku. Dzięki temu Zdobywcy nie będą mieli nad wami tak miażdżącej przewagi.

Gigantyczny słoń stanął na tylnych nogach, przez co wydał się jeszcze potężniejszy i bardziej majestatyczny. Uniósł trąbę i wydał z siebie ryk, który poniósł się echem nie tylko wewnątrz krateru, lecz zapewne wiele kilometrów dalej. Potem skulił się na górnej platformie piramidy, a jego skóra pociemniała i zamieniła się w kamień – znów przeistoczył się w kopułę na szczycie budowli, która była zarazem jego świątynią.

Wydawało się, że trąbienie Dinesha nadal się niesie nad wodami jeziora, aż wreszcie członkowie drużyny zdali sobie sprawę, że to już nie ryk słonia, tylko odzew na jego wezwanie. Od strony wąskiej drogi pomiędzy skalnymi ścianami dobiegało dęcie w rogi i huk gongów.

Nikt nie miał jednak czasu się zastanawiać, co obwieszczały te dźwięki. Wszyscy zeskakiwali w pośpiechu z kolejnych stopni piramidy. Musieli jak najszybciej dostać się do wnętrza budowli przez wielkie drzwi z brązu, bo pierwsze z czerwonookich krokodyli wdzierały się już na brzeg wyspy.

Rollan został nieco z tyłu, bo nadal odczuwał zawroty głowy spowodowane wyczerpującą wspinaczką. Z góry widział, że w stronę wejścia do świątyni zmierzają trzy grupy: piątka jego towarzyszy wraz ze zwierzoduchami, olbrzymie gady Zdobywców, rozbryzgujące wodę ogonami, oraz kapłani Dinesha, stojący dotąd na pomoście. Obawiał się, że krokodyle jako pierwsze dotrą do wrót piramidy, ale drużyna Zielonych Płaszczy okazała się od nich szybsza. Tarik i Lishay przyzwali swoje zwierzoduchy, wyciągnęli broń i przyjęli pozycje do walki.

Tymczasem ze świątyni wybiegła druga grupa kapłanów. Mieli na sobie kolczugi, a na głowy zamiast masek włożyli lśniące, stalowe hełmy z cienkimi kłami przypominającymi sztylety. Uzbrojeni byli w miecze, włócznie i noże. Padło kilka zwięzłych rozkazów i kapłani razem z członkami drużyny uformowali szyk obronny przed wielkimi drzwiami z brązu.

Gdy krokodyle rzuciły się na przeciwników z szeroko otwartymi paszczami, ich przerośnięte od Żółci mięśnie nabrzmiały potwornie, niemal rozrywając grubą skórę na grzbietach. Gady atakowały z furią, ale ginęły szybko, nabite na włócznie, zakłute mieczem Tarika albo naszpikowane strzałami przyniesionymi przez kapłanów, które Abeke i Lishay posyłały z łuków. Te spośród potworów, które zdołały się przedrzeć dalej, napotykały topór Conora, zęby Briggana albo sztylet Rollana, który z zimną krwią dźgał monstra prosto w ślepia. Uraza i Zhosur pilnowali terenu na skraju pola bitwy i rozszarpywali krokodyle, które uszły żywe z rąk ludzi.

Mimo wszystko jeden wyjątkowo wielki krokodyl prawie zdołał się przedrzeć do wrót piramidy. Jednak wtedy do akcji wkroczyła Lumeo. Sprowokowała gada do ataku, a ten kłapnął szczękami i w pogoni za wydrą wygiął przerośnięte cielsko tak mocno, że prawie zawiązał się przy tym na supeł. Kiedy spróbował wyplątać ogon spomiędzy łap, Conor rąbnął go toporem w łeb.

Kolejne stado krokodyli zaczęło wychodzić z jeziora, ale Tarik miał dość czasu, żeby zorganizować obronę.

– Zawrzeć bramę! – rozkazał i całym ciężarem ciała naparł na jedno ze skrzydeł wrót, które zamknęły się powoli, z metalicznym jękiem.

Sześciu kapłanów pośpieszyło z pomocą, żeby zatrzasnąć drzwi do końca. Wreszcie ogromne sztaby zaryglowały z hukiem wejście.

– Czy są tu otwory strzelnicze? – zapytał Tarik.

– Tak – potwierdził któryś kapłan i od razu odsłonił kilka szczelin w murze świątyni, znajdujących się mniej więcej na wysokości jego klatki piersiowej.

– Lishay i Abeke, do łuków. Strzelajcie przez otwory – polecił Tarik i rozejrzał się po olbrzymiej centralnej sali piramidy.

Wewnątrz znajdowało co najmniej czterdziestu uzbrojonych kapłanów w kolczugach, lecz pozostali, których było około dwunastu, nadal mieli na sobie swoje zwykłe, szare szaty. Ci nie szykowali się do walki, tylko zebrali się w ciasnym kręgu przy ogromnym kole z brązu, które wystawało z jednej ze ścian.

– Do czego służy to koło? – spytał Tarik.

– Do otwierania śluzy wodnej – odpowiedział któryś z kapłanów. Wyglądał na młodszego od towarzyszy i być może dlatego był mniej zagubiony w obliczu niebezpieczeństwa, jakby niespodziewane zburzenie codziennego porządku nie zrobiło na nim większego wrażenia. – Można nią osuszyć jezioro.

– Jak długo to trwa? – chciał wiedzieć Tarik.

– Nie wiemy. To ostatnia linia obrony. Nigdy dotąd nie byliśmy zmuszeni użyć tego mechanizmu.

– Jeśli woda spływa wystarczająco szybko, prąd porwie łodzie Zdobywców – ucieszył się Conor. – Powinny zostać wciągnięte przez wir!

Tarik pokiwał głową i pytał dalej:

– Czy jest tu jakieś miejsce, z którego można obserwować jezioro z góry? Musimy wiedzieć, czy nieprzyjaciele spuścili już łodzie na wodę.

Kapłan wskazał schody biegnące po lewej stronie i powiedział:

– Na wszystkich poziomach są wykute otwory obserwacyjne. Ale po zdjęciu przesłon, szpary będą widoczne z zewnątrz – dodał.

– Rollanie, idź wyżej zobaczyć, co robią Zdobywcy – rozkazał Tarik.

Chłopak wbiegł na schody w chwili, gdy wrota z brązu zadrżały pod naporem gadów, które próbowały je staranować. Conor popędził za kolegą, podczas gdy Abeke i Lishay posyłały kolejne strzały przez otwory w grubym murze. Mierzyły dokładnie, żeby żaden pocisk się nie zmarnował, a kapłani przynosili im kolejne kołczany.

Rollan dostał zadyszki, jeszcze nim dotarł na czwarty poziom budowli. Conor dołączył do niego przy otworze obserwacyjnym i razem zaczęli patrzeć na jezioro. Wrogie oddziały, które gromadziły się nad wodą, były wyraźnie widoczne nawet bez sokolego wzroku Essix.

– Są na jeziorze! – krzyknął Conor w kierunku centralnej sali, a Rollan odsunął się i zgiął w pół, ciągle usiłując złapać oddech po biegu. – Widać ogromnego, ale naprawdę ogromnego krokodyla, który zagania pozostałe!

– To znaczy, że musi tu być sam Pożeracz – stwierdził Tarik, a któryś z kapłanów aż westchnął z trwogi.

– Gdybyśmy zdołali go pokonać, to zakończylibyśmy wojnę! – dodał Conor.

Rollan popatrzył na kolegę z zaskoczeniem. Jego słowa wydały mu się co najmniej przesadnie optymistyczne, żeby nie powiedzieć naiwne. Wróg miał w końcu przytłaczającą przewagę liczebną, gigantycznego krokodyla na swoich usługach i zastępy innych zwierząt przemienionych za pomocą Żółci w armię potworów.

Po zorientowaniu się w sytuacji chłopcy zbiegli po schodach do głównego pomieszczenia piramidy, gdzie toczyła się właśnie zażarta dyskusja.

– Widzieliście, żeby ktoś się zbliżał ścieżką między skałami? – zapytała kolegów Meilin. – Jeźdźcy nosorożców? Wojska zhongijskie?

– Nie – wydyszał prędko Rollan. – Zobaczyliśmy tylko tysiące Zdobywców schodzących po ścianach krateru. I setki łodzi.

– Jak wiele z tych łodzi jest już zwodowanych? – chciał wiedzieć Tarik.

– Jedna trzecia, może więcej – odparł Conor.

– Otworzyć śluzę! – polecił wtedy Tarik.

Kapłani naparli na wielkie koło z brązu ze wszystkich sił, ale mechanizm ani drgnął.

Wrota znów zadrżały, a rygle jęknęły pod naporem rozwścieczonych gadów.

– Krokodyle rzucają się na bramę. Zupełnie oszalały! – krzyknęła Abeke, posyłając przez otwór w murze kolejną strzałę. – Trafiłam jednego co najmniej dwanaście razy, a on nadal atakuje!

– Abeke i Lishay, kontynuujcie ostrzał. Wszyscy pozostali, do koła! – rozkazał Tarik. – Kapłani, odsuńcie się!

Conor z Brigganem, Rollan z Essix, Meilin z Jhi, a także Tarik z Lumeo podbiegli prędko do wielkiego mechanizmu.

– Złapcie za koło i zaczerpnijcie sił od swych zwierzo-duchów! – polecił Tarik.

Wszyscy naprężyli mięśnie, ale nie przyniosło to najmniejszego skutku.

Olbrzymie wrota do świątyni znów zadudniły od uderzeń krokodyli, tym razem jednak łomotowi towarzyszył również niepokojący trzask pękających rygli.

– Brama zaraz ustąpi! – zawołała Lishay.

– Pchajcie mocniej! – krzyknął Tarik.

Mechanizm nawet nie drgnął.

– Jhi! Pomóż! – poprosiła Meilin.

Panda wspięła się niezgrabnie na tylne nogi i oparła łapy na jednej z grubych szprych wielkiego koła. Rollan słyszał wprawdzie o niespotykanej sile, jaką Jhi się wykazała w Bambusowym Labiryncie, ale nigdy nie widział na własne oczy, na co ją stać.

– Wszyscy razem! – zawołała Meilin.

Rollan zamknął oczy i z całej mocy naparł na koło. Jego towarzysze również napięli mięśnie z determinacją.

Rozległ się odgłos przypominający chrobotanie żwiru i rdza przytrzymująca mechanizm w miejscu ustąpiła. Koło zaczęło się obracać, z początku powoli, potem zaś coraz szybciej i prawie bez konieczności wprawiania go w ruch.

– Rollanie, idź sprawdzić, czy coś się zmieniło – polecił chłopakowi Tarik.

W chwili gdy to mówił, jeden z rygli zabezpieczających wrota pękł z trzaskiem, więc już tylko jedna drewniana sztaba powstrzymywała natarcie krokodyli.

– Wszyscy pozostali, przygotować się do odparcia nieprzyjaciela! – krzyknął Tarik.

Ostatni rygiel się złamał i Abeke wraz z Lishay odskoczyły od bramy. Do wnętrza wdarł się ohydny, czerwonooki krokodyl, ale na jego drodze natychmiast pojawili się kapłani uzbrojeni we włócznie. W ślad za pierwszym gadem podążały następne, uniemożliwiając broniącym zamknięcie wrót. Członkowie drużyny z Tarikiem na czele zaszarżowali na rozwścieczone bestie. Wnętrze świątyni zamieniło się w pole bitwy, zewsząd dochodziły wrzaski walczących i odgłosy uderzeń. Oszalałe krokodyle tłukły wielkimi cielskami o kamienie.

Rollan ruszył z powrotem na schody i po drodze wezwał do siebie Essix. Nie zatrzymał się przy żadnym z niżej położonych otworów obserwacyjnych, tylko popędził prosto na ósmy poziom piramidy, skąd rozciągał się najlepszy widok na jezioro. Pośpiesznie odsunął zasłonę i wyjrzał na zewnątrz.

Wroga armia pokonała już połowę odległości do wyspy. Setki długich łodzi, przypominających kanu, unosiły się na falach, a co najmniej drugie tyle czekało na zwodowanie.

Chłopak zasłonił otwór obserwacyjny i pobiegł na drugą stronę piramidy, żeby wyjrzeć tym razem na wschód. Wiedział, że jedyną szansą dla obrońców zamkniętych w budowli był wir wodny w jeziorze. O ile rzeczywiście był na tyle silny, żeby wessać łodzie razem z żołnierzami i ich zwierzoduchami.

Przez drugi otwór obserwacyjny Rollan nie zobaczył niczego nowego, dlatego natychmiast pobiegł ku południowej ścianie. Essix zaskrzeczała świdrująco, po czym wylądowała niedaleko jednej ze szczelin widokowych na zewnątrz piramidy. Rollan poczuł znajome wrażenie, którego doświadczał, gdy za sprawą sokolicy wyostrzał mu się wzrok. Nagle zaczął widzieć aż nazbyt wiele szczegółów. Dostrzegał bardzo wyraźnie twarze Zdobywców i towarzyszące im zwierzoduchy, ale wśród nadciągającej hordy nigdzie w polu widzenia nie było Pożeracza.

Zobaczył jednak coś innego. To coś znajdowało się na jednym z zewnętrznych stopni budowli, dosłownie pod pazurami Essix, tuż za wylotem otworu obserwacyjnego. Kamień, na którym przysiadła sokolica, miał nieco inny kolor niż bloki, z których zbudowano świątynię. Był ciemnoszary, odcieniem przypominał skórę Dinesha. Jego powierzchnię zdobiła płaskorzeźba.

Rollan wyciągnął rękę przez otwór i przesunął dłonią po kamieniu. Essix obserwowała jego ruchy z napięciem. Płaskorzeźba przedstawiała słonia, była wielkości dłoni. Chłopak powiódł palcem wzdłuż żłobienia i nacisnął kamienne wybrzuszenie, zapominając o ostrożności.

Słoń wysunął się w górę. Okazało się, że jest do niego przyczepiony złoty łańcuszek.

Był to talizman – Łupkowy Słoń.

Rollan zacisnął dłoń na kamiennej figurce i zaczął gorączkowo rozważać, co powinien teraz zrobić. Mogli spróbować uciec – trzeba by było dotrzeć do trzcinowej łodzi, przepłynąć jezioro i wymknąć się przez przejście pomiędzy urwistymi skałami. To mogłoby się udać... tylko że byłoby ogromnie ryzykowne. Nawet z pomocą talizmanu.

Poza tym szara figurka należała do Dinesha, który jeszcze im jej nie oddał. Rollan sam znalazł Łupkowego Słonia. Przywłaszczenie go sobie byłoby zwykłą kradzieżą, a on nie chciał, żeby gigantyczny, rozwścieczony Dinesh ścigał go przez całą Erdas.

Rollanowi zdarzało się kraść, kiedy mieszkał w Concorbie. Nie miał wyboru – robił to, żeby przeżyć. Ale nie uważał się za złodzieja. Kierował się wewnętrznym kodeksem moralnym, który uchronił go przed pójściem w ślady wielu innych osieroconych dzieci, które kończyły często jako zatwardziali przestępcy. Zasady Rollana były proste: nie okradaj biednych, nie okradaj chorych i nie kradnij, jeżeli istnieje lepsze rozwiązanie. Teraz przyszło mu do głowy, że jego kodeks odnosi się również do aktualnej sytuacji. Czy zdobycie talizmanu uczciwą drogą nie było lepsze od kradzieży?

Palce świerzbiły Rollana nieznośnie. Skoro Dinesh był tak potężny, jakie moce musiał mieć jego talizman?

Bardzo powoli i z myślą, że być może postępuje jak ostatni głupiec, Rollan wsunął talizman z powrotem do kamiennej niszy. Wolał się nie zastanawiać, co zrobiłaby Meilin, gdyby go teraz zobaczyła...

Gdy tylko figurka słonia znalazła się na miejscu, w głowie chłopaka rozległ się czyjś głos.

– Dobrze – powiedział Dinesh. – Gdybyś wziął talizman bez mojej zgody, byłbym ci wrogiem. Ty jednak nie zabrałeś go podstępem, dlatego będę ci przyjacielem.

Essix pokiwała łebkiem z aprobatą, a Rollan aż westchnął z ulgi.

– Hmm, dziękuję – odparł, choć wcale nie był pewien, czy mentalna komunikacja ze słoniem nie działa przypadkiem tylko w jedną stronę. – Tak się składa, że bardzo potrzebujemy przyjacielskiej pomocy. I to jak najszybciej.

Nikt mu nie odpowiedział.

Essix wzbiła się w powietrze i pofrunęła do następnego otworu obserwacyjnego. Rollan pobiegł za nią i otworzył pokrywę.

To, co zobaczył, wlało w jego serce nadzieję. Tym razem widok był znacznie lepszy. W południowej ścianie krateru pojawiła się okrągła wyrwa. Choć większa jej część znajdowała się pod taflą jeziora, chłopak ocenił, że musiała mieć co najmniej piętnaście metrów średnicy. Wokół otworu pieniła się i kotłowała woda, formując potężny wir. Zbiornik zaczynał się opróżniać, ale następowało to wolno i prąd był nadal zbyt słaby, żeby porwać łodzie wrogiej armii.

– Pomoc nadchodzi – odezwał się znowu Dinesh. – Spójrz na zachód.

20

OSTATNI BASTION

Conor zszedł z pola bitwy, wytarł żeleźce topora o tunikę i na moment stanął zupełnie bez ruchu, próbując odzyskać oddech. Wszystkie krokodyle wchodzące w skład dwóch pierwszych grup natarcia zostały zabite. Członkowie Zielonych Płaszczy i kapłani zamarli pośród pobojowiska okrwawionych i rozczłonkowanych cielsk zwierząt. Twarze walczących były posępne. Po chwili niektórzy zajęli się sprawdzaniem stanu swojej broni i oceną uszkodzeń, a inni zaczęli opatrywać rannych. Meilin pomagała bandażować kapłana, który został paskudnie pogryziony, a Jhi delikatnie wylizywała jego skaleczenia.

– Nie utrzymamy się tu – powiedział Tarik do Lishay, która zbierała i czyściła strzały znalezione na pobojowisku. – Wrota są wyważone, więc musimy albo bronić się dalej na wyższym poziomie piramidy, albo spróbować dostać się do łodzi i uciec. Oczywiście jeśli jezioro nie zostanie do tego czasu całkiem osuszone.

– Na łodzi wszyscy się nie zmieścimy – zauważył przytomnie Conor, zerkając z troską na kapłanów.

Mimo początkowych nieporozumień czciciele Dinesha walczyli ramię w ramię z Zielonymi Płaszczami i nie zasługiwali na to, żeby zostawić ich na pastwę wroga. Jeśli jednak drużyna nie zdecyduje się uciec, bardzo możliwe, że cała szóstka zginie podczas obrony świątyni. W takiej sytuacji już nikt nie będzie w stanie powstrzymać Zdobywców i cała Erdas znajdzie się wkrótce pod panowaniem Pożeracza.

Rollan bez tchu zbiegł po schodach.

– Woda ucieka z jeziora, ale wypływa zbyt powoli – wydyszał. – Łodzie Zdobywców pokonały już połowę odległości… – przerwał, żeby zaczerpnąć tchu. – Ale mam też dobre wieści. Drogą pomiędzy skałami zbliżają się jeźdźcy nosorożców! Nadchodzą także żołnierze Zhong, pod srebrno-szkarłatnymi sztandarami!

– Srebro i szkarłat to barwy mojego ojca! – powiedziała z radością Meilin.

– Nie mam pojęcia, co ich tu ściągnęło – stwierdził Tarik. – Ale teraz mamy już pewne szanse.

– Założę się, że to Xue ich wezwała – wtrącił Conor.

– Rollanie, widziałeś z góry Pożeracza? Albo jego olbrzymiego krokodyla? – zapytał Tarik, a chłopak w odpowiedzi pokręcił tylko głową.

– Jak daleko są w tej chwili łodzie?

– Przybiją do wyspy za jakieś dziesięć minut – odparł Rollan. – Widziałem jednak, że część z nich zawracała w stronę brzegu jeziora, żeby stawić czoła nadciągającym jeźdźcom nosorożców.

– Chodźmy zobaczyć, co się dzieje na zewnątrz – zadecydował Tarik. – Trzymaj się blisko mnie i bądź gotów, żeby w razie niebezpieczeństwa szybko wycofać się do świątyni.

– Essix mówi, że... że droga wolna – powiedział Rollan, którego spojrzenie stało się nagle szkliste. – Żaden gigantyczny krokodyl nie zaskoczy nas na razie poza piramidą.

Conor utkwił wzrok w Brigganie, który stał nad martwym krokodylem z uśmiechem zadowolenia na pysku, jakby czekał, aż gad się obudzi. Pomyślał, że nawet gdyby przyszło im zginąć tego dnia w bitwie, i tak doświadczył w swoim krótkim życiu znacznie więcej przygód, niż mógłby się tego spodziewać jako zwykły pasterz owiec.

Tarik wytarł głownię miecza o nogawkę. Reszta drużyny ustawiła się za nim w szyku w kształcie klina. Zhosur zajął pozycję z prawej strony formacji, Uraza – z lewej, natomiast Briggan stanął na przedzie. Widząc to, Jhi polizała poranionego kapłana ostatni raz, po czym przeszła w stan uśpienia i pojawiła się na ramieniu Meilin jako tatuaż.

Kiedy wszyscy razem wyszli przez strzaskane wrota piramidy, zalało ich światło słoneczne. Minęli truchła krokodyli, których głowy były tak naszpikowane strzałami, że przypominały olbrzymie poduszki do igieł. Essix przeleciała nisko nad pobojowiskiem i głośno zaskrzeczała, tak że kapłani Dinesha aż się poderwali, zaskoczeni jej świdrującym krzykiem.

Wielka armia Zdobywców w dalszym ciągu przelewała się przez ściany krateru. Nieprzyjaciół były tysiące. Wydawało się, że niemal wszyscy mają z sobą zwierzoduchy. Pochód żołnierzy poprzedzała sfora przeróżnych zwierząt: rysi i kuguarów, szakali i dzików, niedźwiedzi i hien oraz wielu, wielu innych. Niebo pociemniało od stad nietoperzy, kruków, sępów i jastrzębi.

Jezioro zapełniło się łodziami, a i tak nie była to jeszcze cała flota Zdobywców – na fale spuszczano dziesiątki kolejnych. Na szczęście żadna nie zdołała na razie dopłynąć do wyspy z piramidą.

Z każdą chwilą obniżał się poziom wody. Na brzegach pas wilgotnego piasku znaczył miejsce, które jeszcze niedawno opłukiwały fale. Niestety prąd prowadzący ku wyrwie w ścianie krateru sprzyjał nieprzyjaciołom – niósł ich łodzie ku wyspie.

Na zachodnim brzegu Zdobywcy ustawiali się w szyku bojowym. Niecałe dwa kilometry na południe drogą między skałami nadjeżdżali Tergeshowie, a każdy z wielkich nosorożców niósł dodatkowe brzemię: żołnierza armii zhongijskiej. Zbrojni zeskakiwali z grzbietów na brzegu jeziora i ustawiali się w zwarte szeregi. Szkarłat ich pancerzy połyskiwał w słońcu.

Ale nawet mimo posiłków w postaci Tergeshów i żołnierzy Zhong Zdobywcy mieli nadal znaczną przewagę liczebną.

– Pokonają armię mojego ojca – powiedziała cicho Meilin, patrząc ku Zhongijczykom, a Conor pomyślał, że pewnie dziewczyna wspomina upadek Jano Rion. – Pokonają nas wszystkich. Jest ich po prostu zbyt wielu.

Conor z ciężkim sercem stwierdził, że Meilin miała rację. Najpierw, na wieść o tym, że zbliżają się jeźdźcy nosorożców i świetnie wyszkolone wojska Zhong, wszyscy poczuli przypływ nadziei. Teraz jednak ponownie ogarnęło ich zwątpienie.

– Jeśli zamierzasz nam pomóc, to właśnie jest na to dobra chwila Conor usłyszał za plecami słowa Rollana i spojrzał na niego ze zdziwieniem.

Rollan nie patrzył na zgromadzone armie, tylko w kierunku piramidy.

– Z kim rozmawiasz? – zapytał Conor.

– Ja? Eee… z Dineshem. Myślę, że jest mi winien przysługę. Chyba że tylko…

Urwał i chwycił kolegę za ramię, bo wyspa zadrżała im pod stopami.

– Co to było? – zdziwił się Conor i spojrzał pod nogi. – Trzęsienie ziemi?

– Patrzcie tam! – wykrzyknął Rollan, wskazując kopułę piramidy.

Kamienna czasza uniosła się odrobinę, zupełnie jakby Dinesh budził się znowu ze snu. Po chwili Conor zauważył, że ogromne, szare bloki na górze piramidy się przesuwają. Wyglądało to tak, jakby kopuła była częścią gigantycznej kuli, która właśnie zaczynała się toczyć…

– Uciekajcie! – wrzasnął Rollan. – Wszyscy na lewo! Pozostali członkowie drużyny, zaalarmowani jego krzykiem, odwrócili się i w tym samym momencie spostrzegli ogromną, kamienną kulę. Była ona wielkości połowy piramidy. Toczyła się w ich stronę, z każdą chwilą nabierając prędkości i roztrącając bloki skalne, jakby były dziecięcymi klockami. Wyglądało na to, że zaraz spadnie z piramidy, zrzucając na drużynę fragmenty potężnych zewnętrznych schodów budowli.

Ziemia zatrzęsła się gwałtownie, gdy gigantyczny głaz zmiażdżył pierwszy ze stopni i potoczył się po nim jak po rampie. Członkowie drużyny oraz kapłani rzucili się do ucieczki w stronę jeziora. Wielka kula strzaskała kilka kolejnych stopni i runęła w dół. Conor mógłby przysiąc, że z każdą sekundą stawała się coraz większa. Miała już co najmniej trzydzieści metrów średnicy. A przecież Dinesh chyba nie był aż tak ogromny...

W połowie piramidy głaz się odbił, wyleciał w powietrze i spadł na ziemię z tak potwornym hukiem, że nikomu nie udało się ustać na nogach. A potem odbił się raz jeszcze.

Poszybował wysoko, znacznie wyżej, niż byłoby to możliwe w wypadku zwykłego głazu, i urósł jeszcze bardziej. Conor patrzył z rozdziawionymi ustami, jak kula, która osiągnęła już niemal rozmiar małego księżyca, wiruje w powietrzu, zmierzając wprost ku łodziom Zdobywców.

Kula uderzyła w taflę jeziora z nieprawdopodobną siłą, wypierając większość pozostałej w nim wody jednym przeogromnym pluśnięciem. Łodzie, żołnierze, zwierzoduchy i krokodyle wystrzelili z chlupotem w powietrze, po czym runęli w dół, niby jakaś dziwaczna ulewa.

Conor leżał na ziemi, osłaniał głowę rękami i wstrzymywał oddech, bo spadały na niego kaskady wody. Woda zalała wyspę, rozlewając się aż do podnóża piramidy. Natarła z mniejszą siłą, niż się spodziewał, bo rozbryznęła się w różnych kierunkach i tylko pojedyncza fala uderzyła w skrawek lądu pośrodku krateru.

Właśnie Conor wstał jako pierwszy i tknięty złym przeczuciem, od razu rozejrzał się w poszukiwaniu Briggana. Dostrzegł go niemal natychmiast. Wilk leżał skulony obok dwóch wielkich kotów i szczerzył kły. Po chwili podniósł się i wytrząsnął wodę z sierści, opryskując wilgotnymi drobinkami wszystko wokół. Żadnemu ze zwierzoduchów Zielonych Płaszczy nic się nie stało. Również Essix była bezpieczna – wzbiła się wysoko pod chmury i stała się ledwo widoczną plamką czerni na niebie.

Coś zatrzepotało u stóp Conora. Był to żmijogłów, który próbował kąsać chłopaka, walcząc jednocześnie o oddech. Conor zlitował się i zakończył agonię zębatej ryby jednym uderzeniem topora.

Gdzieś w pobliżu rozległo się trąbienie słonia.

– Patrzcie! – zawołał Rollan, wskazując coś ręką.

Jezioro pozbawione wody zamieniło się w połać skalistej równiny. Pokrywały ją ciała rannych Zdobywców i wraki strzaskanych łodzi. W samym środku tego pobojowiska wylądowała olbrzymia kamienna kula. Po chwili się poruszyła i na równinie stanął słoń Dinesh. Uniósł łeb i zatrąbił wezwanie do boju, choć wokół nie było już żadnych wrogów, którzy byliby w stanie walczyć.

Conor dźwignął topór nad głowę, ale nie był to jeszcze gest triumfu. Widział, że na brzegu osuszonego jeziora sytuacja nadal była groźna. Choć ponad jedna trzecia wojsk Zdobywców została unieszkodliwiona, armia nieprzyjaciela nadal stanowiła ogromną siłę i nieubłaganie zbliżała się do oddziałów złożonych z Tergeshów oraz żołnierzy Zhong. Wojownicy dosiadający nosorożców ustawili się w ciasnym szyku wzdłuż brzegu, zhongijska piechota zaś czekała w kolumnach u stóp ściany krateru.

Dinesh znowu zatrąbił i poszedł po skalistym dnie w stronę miejsca, gdzie miała za chwilę rozgorzeć bitwa. Kiedy zaczął szarżować, Tergeshowie zadęli w rogi. Conor zobaczył, jak Jodoboda unosi swoją lancę. Na ten znak nosorożce opuściły masywne, rogate łby i ruszyły do natarcia.

Młodzi członkowie drużyny rzucili się natychmiast biegiem w kierunku odległego brzegu, żeby wesprzeć sojuszników w walce.

– Stać! – krzyknął do nich Tarik. – Najpierw trzeba myśleć, a potem działać. Nie na odwrót. Jaki mamy plan? Gdzie najbardziej się przydadzą nasze umiejętności?

Conor wiedział, gdzie chciała być teraz Meilin, która spoglądała niespokojnie na zastępy zhongijskich żołnierzy, zapewne wypatrując wśród nich ojca.

– Jeśli wesprzemy Tergeshów, podczas bitwy możemy trafić pod kopyta nosorożców – zauważył. – Lepiej dołączmy do armii generała Tenga.

Meilin spojrzała na kolegę z zaskoczeniem. Widać było, że z całego serca pragnęła poprzeć jego pomysł. Mimo to zdecydowanie pokręciła głową.

– Mój ojciec nie potrzebuje naszej pomocy – odparła, choć jej oczy przepełniał ból. – Za to Dinesh jest sam przeciw wielu. Powinniśmy stanąć do walki u jego boku.

Tarik skinął głową i powiedział:

– Zgadzam się. Ruszamy za Dineshem. Tylko trzymajcie się razem!

Pobiegł naprzód, a Lumeo, siedząca na jego ramieniu, dodawała mu szybkości i zręczności, koniecznych do pokonania skalistego dna jeziora. Reszta grupy starała się w miarę możliwości dotrzymywać im kroku.

Tymczasem pod ścianą krateru rozległ się chrzęst broni. Nosorożce szarżowały na stojących w szeregu Zdobywców, którzy czekali na uderzenie z wyciągniętymi włóczniami i przygotowanymi tarczami.

Starciu się tak wielkiej liczby nosorożców, zwierzoduchów i żołnierzy towarzyszył łoskot, jakiego nikt nigdy wcześniej nie słyszał. Odgłos przypominał ogłuszająco potężny ryk, ryk bólu i złości, wydany przez blaszaną gardziel.

Chwilę po tym jak szarża Tergeshów naparła na pierwszy kordon Zdobywców, do walki włączył się Dinesh. Większość nieprzyjaciół i ich zwierzoduchów pierzchła mu z drogi, tylko niektórzy okazali się odważniejsi i otoczyli Wielką Bestię. Rozsierdzony słoń zatrąbił ogłuszająco i zaczął roztrącać wrogów. Jednych miażdżył masywnymi nogami, innych zaś porywał z ziemi trąbą i ciskał daleko. Jego długie ciosy kosiły zastępy najeźdźców, pozostawiając głębokie wyrwy w szeregach armii Pożeracza.

Jeźdźcy nosorożców również zostali okrążeni. Impet ataku zaniósł ich wprawdzie głęboko pomiędzy formacje nieprzyjaciół, ale Zdobywcy nadal mieli przewagę liczebną. Rozproszyli się i podzielili, odcinając Tergeshów od zhongijskiej piechoty, która nadal czekała w szyku u stóp ściany krateru.

Raptem rozległo się bicie w gongi. Conor zauważył pośród zhongijskich zastępów wysokiego mężczyznę, który mieczem dał armii sygnał do ataku. To musiał być generał Teng! Twarz Meilin pojaśniała z dumy. Conor zaczął dopingować oddziały maszerujące w zwartym szyku. Żołnierze zatrzymywali się co jakiś czas, żeby wypuścić w stronę wroga salwę strzał.

W końcu również drużyna Zielonych Płaszczy mogła się włączyć do bitwy. Dotarli już do miejsca, gdzie Dinesh walczył ze Zdobywcami, więc Conor mocniej ujął swój topór. Briggan warczał i szczerzył groźnie zęby, nie mogąc już doczekać się starcia.

Rollan uśmiechnął się do Conora i spytał:

– Razem?

– Zawsze! – Kolega odwzajemnił uśmiech.

Obaj mieli w pamięci polecenie Tarika, żeby walczyć w grupie, ale gdy tylko zaczęli torować sobie drogę w stronę Dinesha, natychmiast zostali rozdzieleni przez wrogów.

– W pary! – krzyknął Tarik, uchylając się przed uderzeniem dwuręcznym toporem i tnąc napastnika na odlew.

Lumeo zatańczyła pomiędzy nogami rębacza, poharatała mu zębami ścięgna kolanowe i obaliła go na ziemię. Gdy mężczyzna upadł, natychmiast doskoczył do niego Zhosur i zacisnął kły na jego szyi. Ze Zdobywcy uszło życie, a wtedy tygrys się rzucił, żeby rozszarpać szakala próbującego atakować Lishay.

Conor i Abeke walczyli ramię w ramię, jak wcześniej na bagnach. Briggan i Uraza nie ustępowali im w zapale bitewnym. Chłopak wraz ze zwierzoduchami trzymał wrogów na dystans, a jego koleżanka mierzyła spokojnie z łuku i szpikowała ich strzałami.

– Zaczynają ustępować! – zawołał Tarik. – Na nich!

Opór najeźdźców rzeczywiście zaczynał słabnąć. Wielu rozglądało się w poszukiwaniu drogi ucieczki. Szczególnie zaniepokojeni byli ci, którzy dostali się pomiędzy jeźdźców nosorożców a zhongijską piechotę. Niektórzy rzucali broń na ziemię i poddawali się bez walki.

Ważyły się losy bitwy. O zwycięstwie lub porażce miały zadecydować najbliższe minuty. Walczący zdawali sobie sprawę, że od wyniku starcia może zależeć przyszłość całej Erdas.

Gdy Zdobywcy zaczęli się poddawać strachowi, w serca obrońców wstąpiła nadzieja.

I właśnie wtedy na brzegu pustego jeziora pojawił się olbrzymi krokodyl, znacznie większy niż czerwonookie potwory zatrute Żółcią.

– Widziałam go już – powiedziała ze zdumieniem Abeke, wyszarpując strzałę z ciała napastnika, który upadł u jej stóp.

Conor otarł pot z czoła.

– Czy to...?

– Tak. Leżał u stóp Pożeracza. – Abeke zacisnęła usta i z wyrazem zawziętości na twarzy obserwowała gigantycznego gada.

– Pożeracz... – powtórzył Conor.

W ciszy, która niespodziewanie zapadła, jego słowa zabrzmiały jak obwieszczenie. Bój ustał, a oczy wszystkich walczących zwróciły się w stronę krokodyla.

Na grzbiecie gada stał potężny mężczyzna. Miał na sobie czerwony pancerz i hełm z przyłbicą ozdobioną kłami, która zasłaniała mu całą twarz.

– Generał Gar czy nie, moja strzała go nie chybi – powiedziała Abeke.

Pojawienie się krokodyla oraz samego Pożeracza tchnęło w Zdobywców nowego ducha. Wznieśli pełen zapału okrzyk wojenny i znowu rzucili się do ataku. Bitwa zamieniła się w bezładną serię starć pomiędzy małymi grupkami walczących, a dyscyplina i taktyka ustąpiły miejsca chaosowi.

Conor stracił z oczu pozostałych przyjaciół, więc trzymał się blisko Abeke. Walczyli w równym rytmie, aż do momentu gdy chłopak, zajęty odpieraniem nacierającego Zdobywcy, został od tyłu zaatakowany przez rosomaka. Ostre zęby zacisnęły się na jego ręce trzymającej topór, zwierzę zaszamotało się i broń upadła na ziemię. Conor krzyknął z bólu i osunął się na jedno kolano.

Briggan warknął dziko, lecz Abeke była bliżej niewielkiego drapieżnika. Już miała dźgnąć go strzałą, ale w ostatniej chwili obróciła rękę i uderzyła rosomaka pięścią. Zwierzoduch potoczył się po ziemi, a Abeke cofnęła się o krok, wyraźnie zdumiona i zaskoczona.

– Dlaczego to zrobiłaś? – zapytał Conor, czując, jak krew tryska mu spomiędzy palców zaciśniętych na ranie.

Był pewien, że koleżanka celowo się powstrzymała i nie zadała zabójczego ciosu, lecz nie miał pojęcia, dlaczego tak postąpiła. Jednak zamęt bitwy nie sprzyjał udzielaniu wyjaśnień, więc nie czekając na odpowiedź, zaczął macać wokół w poszukiwaniu swojego topora.

Abeke rozejrzała się i zamarła. W tłumie żołnierzy dostrzegła szczupłego chłopaka. Był on niewiele starszy od Conora, ale znacznie silniejszy. Mimo że bitewny kurz pokrywał grubą warstwą ciała i ubrania walczących, jego jasne włosy i skóra wyraźnie się odznaczały. Chłopak zauważył Abeke. Widząc jego reakcję, Conor natychmiast zrozumiał, że tych dwoje się znało. Abeke wyglądała na wstrząśniętą, jej ciemna skóra bardzo zbladła.

Jasnowłosy chłopak się uśmiechnął i podniósł dłoń w powitalnym geście.

Abeke stała nadal bez ruchu, wpatrując się w chłopaka, gdy kolejny Zdobywca zamierzył się na nią mieczem. Na szczęście Conor skoczył na napastnika z krzykiem i zablokował jego cięcie styliskiem topora... w tej samej chwili, gdy jasnowłosy chłopak powstrzymał je swoją szablą. Broń nastolatków skrzyżowała się z piskliwym zgrzytem.

Abeke otrząsnęła się wreszcie z szoku i posłała strzałę w pierś żołnierza, który chciał ją zabić.

Rosomak przyjął pozycję do kolejnego ataku, ale Briggan doskoczył do niego i z furią chwycił go zębami.

Jasnowłosy chłopak cofnął powoli ostrze szabli, nie spuszczając oczu z Conora.

– Renneg! – zawołał, a rosomak parsknął i niechętnie zrobił krok do tyłu.

– Shane – wykrztusiła Abeke.

– Abeke – powiedział ze smutkiem w głosie jasnowłosy chłopak.

Później skinął głową i nie tracąc czasu na rozmowy, odwrócił się i zniknął w bitewnym chaosie.

– Kto to był? – zapytał zdyszany Conor, wywijając toporem i zmuszając kilku Zdobywców do wycofania się w ślad za chłopakiem. – Kim jest ten Shane?

– Nie twoja sprawa! – warknęła na niego Abeke, uciekając wzrokiem, a jej policzki oblał rumieniec.

– Aha... – bąknął Conor.

Już wcześniej się zastanawiał, dlaczego Abeke tak długo towarzyszyła ludziom Pożeracza. Teraz zrozumiał, że

powodem tego mógł być przystojny chłopak, który uda-
remnił atak żołnierza najeźdźców, żeby ją ochronić.

Kilku kolejnych Zdobywców umknęło w tym samym
kierunku co Shane, więc wokół zrobiło się nieco luźniej.
W odległości jakichś stu metrów Conor zobaczył Tarika,
Lishay, Meilin i Rollana, którym w końcu udało się przebić w pobliże Dinesha. Słoń wycofywał się już jednak z
walki, tratując lub biorąc na ciosy głupców, którzy próbowali stanąć mu na drodze.

Kiedy Conor i Abeke ruszyli na pomoc przyjaciołom,
Dinesh odwrócił się w ich stronę.

– Teraz walka będzie bardziej wyrównana. Waszą rze-
czą jest wygrać... lub ponieść porażkę. Będę czekał na
wyłonienie zwycięzców – powiedziawszy to, odszedł,
z każdym krokiem wprawiając ziemię w drżenie.

Zdobywcy zamarli i aż oniemieli, nie mogąc uwierzyć
w swoje szczęście. Potem rzucili się do ataku z niespoty-
kanym impetem. Setki wrogów natarło na czwórkę Zielonych Płaszczy i ich zwierzoduchy, przez co odcięli Abeke
i Conorowi drogę do towarzyszy.

Za niezliczonymi zastępami wojowników Pożeracza
szedł juz gigantyczny krokodyl z jeźdźcem w czerwonej
zbroi na grzbiecie.

21

WIELKA STRATA

Plecami do siebie! – rozkazał Tarik.

Meilin, Lishay i Rollan stanęli ciasno, stykając się ramionami, ale potem utworzony przez nich krąg nieco się rozluźnił, bo Meilin wypuściła ze stanu uśpienia Jhi, która pojawiła się w samym środku koła i wypchnęła wszystkich na zewnątrz. Panda uniosła się na tylne łapy, a oni oparli się o nią plecami, niczym o kolumnę. Przyjaciele poczuli bijącą od Jhi falę energii, która napełniła ich nowymi siłami.

Lumeo przyczaiła się u stóp Tarika. Zhosur warknął i natychmiast rzucił się na Zdobywców. Essix zmagała się w powietrzu z latającymi zwierzoduchami armii Pożeracza i tylko niezwykła szybkość i zwinność pozwalały jej umykać przed ich wściekłymi atakami.

Nie minęła minuta, a grupa przyjaciół została otoczona. Meilin pozwalała, żeby jej ciało reagowało automatycznie, tak jak wyćwiczyła to na treningach. Jej kostur młynkował z szybkością umykającą wzrokowi. Tarik ciął mieczem, a Lishay rąbała szablą. Rollan atakował sztyletem błyskawicznie i pewnie, całkiem jak Essix, która wzlatywała w górę i opadała nagle na wrogów, godząc szponami i dziobem w ich oczy i gardła.

Jednak napastników było zbyt wielu. Meilin była pewna, że choć nikt się nie odzywał, jej towarzysze również zdawali sobie sprawę z powagi sytuacji. To nie był czas na rozmowy, a poza tym i tak nikt nie miał nic do powiedzenia. Wszyscy przeczuwali, że w ciągu najwyżej kilku minut ktoś z nich zostanie ranny albo nawet zginie. Zbliżał się koniec.

Nagle otaczający ich Zdobywcy odskoczyli do tyłu – przybywała odsiecz! Na czele oddziału sprzymierzeńców ramię w ramię pędził wojownik na nosorożcu, zadający lancą nieprzyjaciołom wiele głębokich ran i powalający ich na ziemię, oraz żołnierz w szkarłatno-srebrnej zbroi, z oznaką rangi na hełmie i z mieczem migoczącym jak płynne srebro. Tuż za nimi nadciągała zhongijska armia oraz zastępy Tergeshów, walczący zgodnie, jakby ćwiczyli wspólnie od lat.

Meilin rozpoznała odznakę na hełmie, więc serce aż podskoczyło jej w piersi na ten widok.

– Ojcze! – zawołała.

– Jodoboda! – krzyknął Rollan.

Generał Teng zasalutował Meilin mieczem, po czym wrócił do walki u boku Jodobody. Wrogowie cofali się przed nimi, zaskoczeni tym nagłym sojuszem. Wielu z nich rzucało broń, widząc, jak nosorożce tratują innych żołnierzy Pożeracza. Galop olbrzymich wierzchowców brzmiał jak huk gromów, a ziemia drżała jak od kroków samego Dinesha.

Meilin oparła się o Jhi i przyglądała z zapartym tchem, jak jej ojciec mierzy się z nieprzyjaciółmi. Jego moc i biegłość w boju wlały w jej serce nadzieję i przywróciły jej siłę. Generał dotrzymywał kroku jeźdźcom nosorożców i wykrzykiwał rozkazy swoim wojskom. Meilin niczego nie pragnęła bardziej, niż pójść za nim, ale jej pomocy potrzebowali towarzysze z drużyny.

Nagle między grupki rejterujących Zdobywców wpadł gigantyczny krokodyl, miażdżąc ludzi pazurzastymi łapami. Jodoboda próbował zawrócić swojego nosorożca, który pędził wprost pod nogi gada, ale nie zdążył. Ogromne szczęki zamknęły się na karku wierzchowca i zwierzę padło martwe na ziemię. Wódz Tergeshów, nie mogąc uwierzyć w to, co się stało, nie zeskoczył na czas z grzbietu nosorożca. Kiedy w końcu puścił łańcuch i dał susa w bok, upadł tak pechowo, że skręcił nogę i nie zdołał już wstać.

Tymczasem krokodyl odepchnął martwego nosorożca ohydnym pyskiem i ruszył ku czwórce znużonych walką Zielonych Płaszczy, nadal wspartych na pandzie. Jeździec siedzący na gadzie wyciągnął krzywy nóż z pochwy na piersi i zamierzył się na Tarika, który znalazł się w zasięgu ostrza. Tarik uniósł miecz, żeby się zasłonić, ale jeździec cisnął nożem nie w niego, tylko w Lishay, która bez sił opierała się o Jhi.

Lishay nie zdążyła zareagować.

Zhosur skoczył w chwili, gdy nóż świsnął w powietrzu. Sztych rozorał skórę tygrysa i wbił mu się głęboko w kark. Zwierzoduch upadł na ziemię u stóp swojej partnerki, która krzyknęła przeraźliwie z bólu i strachu, po czym osunęła się na kolana i zanurzyła palce w białym futrze tygrysa.

Meilin nachyliła się szybko nad Zhosurem. Być może Jhi mogła mu pomóc, może jeszcze był czas...

Jednak zanim tygrys został trafiony nożem, zadano mu już wiele poważnych ran. Meilin zyskała pewność, że zwierzoduch nie żyje, jeszcze zanim go dotknęła.

Lishay zawyła rozdzierająco z rozpaczy. Meilin miała wrażenie, że ze współczucia pęknie jej serce.

Z ust Tarika wyrwało się dziwne, niemal zwierzęce warknięcie, jakiego Meilin nigdy wcześniej nie słyszała. Gdy spojrzała na dowódcę, ten już pędził przez plac boju z mieczem uniesionym do śmiertelnego ciosu. Zmierzał w stronę krokodyla. Ale ostrze nie dosięgło opancerzonej skóry. Gad szarpnął potężnym łbem, uderzył nim Tarika i wyrzucił go daleko. Mężczyzna upadł ciężko, a Lumeo ruszyła do niego, popiskując z niepokoju.

Meilin zerwała się na równe nogi, gotowa pobiec na ratunek, ale Rollan zdążył ją zatrzymać. Krokodyl kłapnął zębami w powietrzu dokładnie tam, gdzie znalazłaby się dziewczyna, gdyby nie refleks jej kolegi.

– Uwaga! – Meilin usłyszała znajomy głos i natychmiast rozpoznała, że to wołanie jej ojca.

Zanim krokodyl zdążył ponownie zaatakować, generał Teng zadał mu serię cięć w pysk. Z pancernej skóry gada posypały się iskry, a z ran trysnęła krew.

– Meilin, cofnij się! – rozkazał Teng.

Jego miecz znów zamigotał w słońcu, kiedy generał odbił nóż rzucony przez Pożeracza.

Krokodyl próbował złapać Tenga zębami, ale ten zrobił unik do tyłu i nie dał się schwytać dwóm rzędom ostrych kłów. Szczęki gada zamknęły się z chrzęstem, łapiąc jedynie powietrze.

Rollan chwycił Meilin w talii i odciągnął ją poza zasięg paszczy krokodyla.

– Puszczaj! – krzyknęła dziewczyna. – Ojcze!

Wyła z frustracji, próbując się uwolnić i pobiec na pomoc generałowi, jednak ktoś jeszcze pomógł Rollanowi zabrać ją kilka kroków w tył.

– Jest zbyt wielki, żeby walczyć z nim z bliska! – usłyszała stanowczy głos za plecami, a kiedy się odwróciła, zobaczyła Xue.

Tym razem staruszka nie miała ze sobą tobołka. I już się nie garbiła. W dłoniach trzymała pałeczki do ryżu. Z ich ostrych końcówek kapała krew.

– Szukajcie łuków i strzał! – nakazała.

Meilin rozejrzała się szybko, ale nigdzie w pobliżu nie zauważyła łuku zdatnego do użytku. Jej wzrok padł na lancę Jodobody, wbitą jednym końcem w ziemię. Podbiegła i wyrwała broń. Włócznia była ciężka, ale dobrze wyważona, a Meilin nie brakowało siły.

Rollanowi udało się znaleźć łuk. Napiął cięciwę niewprawnymi palcami, ale strzała okazała się zbyt długa, więc jego wysiłki nie na wiele się zdały.

W tym czasie generał Teng cudem uniknął kolejnego kłapnięcia szczęk krokodyla i sam zaatakował, krzesząc iskry z grubej skóry gada.

– Pomóż mi, Jhi – wyszeptała Meilin, po czym oparła włócznię na ramieniu, ujęła ją oburącz i ugięła kolana, gotowa cisnąć bronią w oko krokodyla. – Lanca jest przecież jak bardzo ostry bambus...

Napełniło ją poczucie siły i spokoju. Czuła za plecami obecność Rollana i Xue. Słyszała też nawoływania Conora, który zbliżał się razem z Abeke. Zignorowała ich wszystkich i wzięła głęboki oddech. Uważnie balansując na ugiętych nogach, napięła wszystkie mięśnie, gotowa oddać rzut.

W tej właśnie chwili Teng poślizgnął się na zakrwawionej trawie. Niemal natychmiast odzyskał równowagę i wyciągnął rękę, żeby się zasłonić mieczem.

Nie zdążył.

Szczęki krokodyla zamknęły się na jego korpusie, a ogromne zęby zazgrzytały o pancerz. Generał skrzywił się z nieznośnego bólu, ale nie wydał z siebie najmniejszego jęku. Po chwili gad wypluł go na ziemię. Z jego bezwładnej ręki wypadł miecz.

Wojownicy z Zhong nigdy nie krzyczeli z bólu. Nie krzyczał też generał Teng ani Meilin. Kiedy uczucie spokoju, którym Jhi napełniła dziewczynę, prysło pod wpływem straszliwego szoku wywołanego widokiem rannego ojca, Meilin wybrała nie krzyk, tylko działanie.

Zapomniała o rzucie lancą i zaszarżowała.

– Meilin, nie! – wrzasnął Rollan, ale nie był wystarczająco szybki, żeby ją powstrzymać.

Krokodyl również był zbyt powolny. Próbował złapać lancę zębami, ale nie zdążył – pchnięcie trafiło go tuż nad pyskiem. Stalowy grot, na który dziewczyna napierała z całych sił, wzmacnianych dodatkowo mocą Jhi, wszedł głęboko w szczękę gada, zadając mu straszliwą ranę.

Straszliwą, ale nie śmiertelną.

Krokodyl rozwarł pysk, żeby jednym kłapnięciem przepołowić zuchwałą dziewczynę, a wtedy Rollan posłał mu strzałę prosto w przełyk. Skaleczenie malutkim grotem było dla ogromnej bestii raczej źródłem rozdrażnienia niż bólu, ale Pożeracz zauważył, że zbliżają się kolejni łucznicy oraz wojownicy Zielonych Płaszczy, dysponujący nadnaturalną siłą i celnością. Dlatego nie zwlekając, pociągnął za wodze i zmusił krokodyla do uniesienia się na tylnych łapach.

– Zwycięstwo będzie nasze! – wysyczał, ale jego czyny zaprzeczyły pogróżce: ponaglił gada i z zaskakującą szybkością umknął z pola walki, tratując zarówno wrogów, jak i sprzymierzeńców.

To zadecydowało o przegranej Zdobywców. Gdy zobaczyli, jak ich przywódca pierzcha na gigantycznym krokodylu, rzucili się do ucieczki. Jeźdźcy nosorożców ruszyli w pościg, a gongi zhongijskiej piechoty zadźwięczały ostrym tonem: „w pogoń, w pogoń, w pogoń!".

Meilin jak przez mgłę widziała to, co się działo wokół. Podbiegła i uklękła obok ojca. Z jego ust sączyła się krew, ale choć doświadczył miażdżącej siły szczęk krokodyla, nadal żył.

– Jhi! Jhi! – wezwała swojego zwierzoducha Meilin.

Panda zbliżyła się i oparła łapę na piersi generała, jednak zaraz się cofnęła.

– Nie, Jhi, pomóż mu! – zawołała Meilin, próbując skłonić pandę do powrotu.

Jednak Jhi się nie przysunęła. Siedziała nieruchomo, co jasno świadczyło o tym, że jest bezsilna. Już nic nie dało się zrobić.

– Meilin – dziewczyna usłyszała zduszony szept, więc przycisnęła policzek do twarzy ojca, czując łzy napływające do oczu.

– Jestem, ojcze.

– Jestem… jestem z ciebie dumny, córko – słowa generała były bardzo ciche i ledwo dało się je zrozumieć wśród bitewnego zgiełku. – Powinienem był ci powiedzieć… Zdrada… Żółć…

Zamilkł. Meilin zobaczyła, jak mięśnie jego twarzy się rozluźniają. Odsunęła się i spojrzała mu w brązowe oczy – tak podobne do jej własnych – wpatrzone w nieskończoną nicość.

Świat wokół Meilin ucichł w jednej chwili. Przestała zwracać uwagę na to, co się działo na polu bitwy. Wszystko zagłuszył bezdźwięczny lament śmierci. Dlaczego nikt go nie słyszał? Czy tylko ona traciła rozum od tej żałobnej pieśni?

Poczuła, jak Rollan kładzie jej dłoń na ramieniu, a Jhi delikatnie dotyka pyskiem jej ucha. Nie zareagowała na ich gesty. Pochyliła się nad ojcem i pozwoliła płynąć łzom.

Żołnierze z Zhong nigdy nie krzyczeli, ale zdarzało im się płakać z nieznośnego bólu.

Essix wylądowała niedaleko. Widać było, że straciła w boju kilka piór. Zbliżyli się też Abeke i Conor, ale nie odezwali się ani słowem. Chłopak pomógł wstać półprzytomnemu Tarikowi, a jego koleżanka sprawdziła, czy Lishay żyje. Uraza dotknęła nosem martwego ciała Zhosura i miauknęła gardłowo i żałośnie.

Meilin kołysała się w przód i w tył, klęcząc przy ciele ojca. W owej chwili najbardziej na świecie pragnęła wzlecieć w niebo jak Essix i znaleźć się jak najdalej od pola bitwy. Wzywał ją jednak obowiązek wobec Jhi oraz pozostałych Wielkich Bestii, wobec całej Erdas. Marzenie o lataniu było zaś tylko marzeniem.

Po chwili wytarła łzy i wstała.

– Pora kwitnienia bambusa upomina się o wszystkich – stwierdziła Xue. – Ważne jest to, jak przeżyliśmy dany nam czas.

Meilin pokiwała tylko głową, niezdolna cokolwiek odpowiedzieć. Rozpoznała słowa staruszki: było to stare przysłowie z Zhong. Nigdy wcześniej nikt nie skierował ich właśnie do niej. „Ja i ojciec przebyliśmy długą drogę, odkąd rozstaliśmy się w Jano Rion – pomyślała. – Bardzo długą drogę... A teraz on już nigdy nie wróci".

Tarik położył jej na ramieniu ciężką dłoń, żeby nie czuła się samotna w tej najtrudniejszej chwili, i jednocześnie sam czerpał siłę z jej obecności.

Bitwa się skończyła i na polu pozostali jedynie zabici i ranni. I samotni. W oddali toczyły się jeszcze walki z niedobitkami armii Pożeracza, ale poza tym wszędzie wokół zapadła nienaturalna cisza.

– Wygraliśmy? – zapytał Rollan.

– Na razie tak – odparł Tarik.

– Lishay żyje – powiedziała Abeke. – Ale nie mogę jej ocucić.

– Nie próbuj – ostrzegła ją Xue. – Utrata zwierzoducha jest jak mała śmierć. Niektórzy wracają po niej do życia. Ale wielu pozostaje w tym stanie aż do kresu swoich dni.

Tarik zamknął na chwilę oczy, jakby słowa staruszki sprawiły mu nieznośny ból.

– Czy powinienem teraz pójść po talizman? – zapytał Rollan. – Na wypadek gdyby Zdobywcy jednak wrócili?

– Po talizman? Jak to? – zapytał Conor.

– A, tak, rzeczywiście, nie mówiłem wam... Talizman jest w piramidzie. Znalazłem go przed bitwą, ale... ale odłożyłem na miejsce – wyjaśnił Rollan.

– Co?! – wykrzyknęli chórem Conor i Abeke.

– Dinesh powiedział, że dobrze zrobiłem! Dlatego nam pomógł. Obiecał, że jeśli wygramy bitwę, będziemy mogli zabrać talizman, więc...

– Nie rozumiałem, dlaczego Dinesh przyszedł nam z pomocą – przyznał Tarik i skłonił głowę przed chłopakiem. – Rollanie, jest w tobie więcej z wojownika Zielonych Płaszczy, niż sam przypuszczasz. Mam nadzieję, że postanowisz jednak przystać do nas na stałe.

– Nie uprzedzajmy faktów. Jeśli się do was przyłączę, to kogo będziesz pouczał o powinności i honorze?

– Pójdziemy po talizman razem z tobą – powiedziała cicho Meilin.

Ciało generała Tenga leżało u jej stóp. Nie chciała się rozdzielać z przyjaciółmi. Tylko oni jej pozostali.

Wyciągnęła rękę i ku jej zaskoczeniu ujął ją Rollan. Ich oczy się spotkały. Conor i Abeke zawahali się, po czym i oni podali sobie ręce. Wszyscy czworo wymienili spojrzenia. Byli okrwawieni i wyczerpani, ale przeżyli pierwszą prawdziwą bitwę ze Zdobywcami. Przeżyli ją razem.

Jhi obserwowała grupę dzieci srebrnymi oczami, po czym ukradkiem zerknęła na Briggana. Wilk wyszczerzył zęby jak w uśmiechu, wywieszając język z pyska. Uraza pociągnęła nosem i zaczęła czyścić łapy z krwi. Daleko w górze poniósł się krzyk Essix.

22

ŁUPKOWY SŁOŃ

U stóp zrujnowanej piramidy czekał na nich Dinesh. Wielki słoń odniósł podczas boju wiele drobnych ran, które obficie krwawiły, teraz jednak nie było już po nich nawet śladu – wyglądał na zupełnie zdrowego. Zdawało się, że był tylko nieco mniejszy. Towarzyszyli mu kapłani, którzy ocaleli w walce. Znów włożyli słoniowe maski i proste, szare szaty. Wielu z nich miało obandażowane kończyny i opatrunki na głowach.

– A zatem wygraliście bitwę – powiedział Dinesh. – I teraz przyszliście po talizman Łupkowego Słonia.

– Przyszliśmy prosić cię o talizman – odparł dyplomatycznie Rollan.

– I podziękować za twoją pomoc – dodała Abeke.

– Zrobiłem tylko to, co było konieczne, żeby wyrównać szanse obu stron – zadudnił Dinesh. – No, może trochę więcej. Ale tylko dlatego, że tamci mieli po swojej stronie tego wielkiego gada.

– Czy krokodyl był jedną z Wielkich Bestii? – zapytał Conor. – Tak jak kiedyś nasze zwierzoduchy?

– Ależ nie, dziecko – zaprzeczył słoń. – My, Wielkie Bestie, jesteśmy w pewnym sensie rodzeństwem. Choć minęło wiele czasu, odkąd słyszałem cokolwiek o poczynaniach pozostałych, nadal jesteśmy strażnikami Erdas. Dotyczy to nawet Kovo i Gerathona, choć tak bardzo się zagubili. Żadna inna istota nie może się stać Wielką Bestią. Choćby nie wiem jak ogromna. Jednak ten krokodyl i jego jeździec bardzo mi kogoś przypominali...

– Nie widziałam jego twarzy, ale jestem prawie pewna, że to był generał Gar – powiedziała Abeke.

– Nie ma już żadnych wątpliwości, że Pożeracz powrócił – zauważył z powagą Tarik. – Nasze obawy niestety się potwierdziły.

– Bez względu na to, czy to rzeczywiście był Pożeracz, czy nie, wkrótce będziecie musieli stąd odejść – stwierdził Dinesh. – Zdobywcy ponieśli porażkę, ale nadciągną z większymi siłami. Znaleźli drogę przez Bambusowy Labirynt albo też sami ją sobie utorowali i Pharsit Nang przestało być bezpieczne. Wkrótce zaatakują ponownie. Nadszedł czas, żebym sobie znalazł nowe miejsce. Tu już nie zaznam spokoju.

– Wyruszymy razem z jeźdźcami nosorożców. Jeśli się zgodzą – powiedział Tarik i odwrócił się do Jodobody, który stał z unieruchomioną nogą, wspierając się na ramieniu jednego ze swych wojowników. Broda wodza była brudna, a na jego szyi na znak żałoby wisiał ciężki łańcuch poległego nosorożca.

– Zabierzemy i was, i zhongijskich żołnierzy – obiecał Jodoboda. – Będziemy razem z nimi walczyć w Pharsit Nang przeciw Zdobywcom, jak zawsze nam to radziłaś, matko – dodał, zwracając się do Xue. – Udało ci się postawić na swoim.

– Chciałeś chyba powiedzieć, że wreszcie poszedłeś po rozum do głowy! – prychnęła Xue.

– Jesteśmy ci winni wdzięczność – odezwał się do Jodobody Rollan. – Bez waszych nosorożców oraz bez ojca Meilin i jego żołnierzy czekałaby nas zguba. Nie poradzilibyśmy sobie też bez twoich kapłanów, Dinesh.

– Wszyscy zrobili to, co było konieczne. – Dinesh westchnął ciężko, jakby poniósł równie wielką stratę, co Meilin. – A teraz idź po talizman. Jest twój.

Rollan złożył Wielkiej Bestii pośpieszny, ale pełen szacunku ukłon i pobiegł w górę po strzaskanych stopniach piramidy, a Essix pofrunęła za nim.

Kiedy wrócił do towarzyszy, powitała go cisza. Był to ten rodzaj milczenia, który jest charakterystyczny dla chwil całkowitego wyczerpania. Wprawdzie wygrali bitwę i zdobyli Łupkowego Słonia, lecz cena zwycięstwa była ogromna. Jakich ofiar będzie wymagało zdobycie następnego talizmanu?

– Do kogo się udacie po kolejny talizman? – zapytał Dinesh. – Której z Wielkich Bestii zakłócicie tym razem spokój swoim popiskiwaniem?

– Jeszcze nie wiemy – przyznał Tarik.

– Chyba że mógłbyś nam pomóc raz jeszcze – powiedziała Abeke. – Wspominałeś, że Suka przebywa w lodowym grobowcu. Zdradzisz nam, gdzie dokładnie?

Słoń roześmiał się dudniąco, a jego głos poniósł się echem po całym kraterze.

– Gdzieś, gdzie jest zimno – odparł z psotnym błyskiem w oku. – Bardzo zimno. Więcej powiedzieć nie mogę.

– Nie mam nic przeciwko temu, żeby dla odmiany przenieść się w jakieś chłodne miejsce – stwierdził Rollan i uniósł łańcuch, na którego końcu powoli obracał się Łupkowy Słoń. – Znalazłem – dodał.

– Tylko nie waż się go nikomu oddawać – upomniał kolegę Conor.

Rollan przez chwilę nie był pewien, czy Conor żartuje. Ostatecznie doszedł do wniosku, że inaczej być nie mogło.

– Już próbowaliśmy tej taktyki – powiedział. – Lepiej, żeby nie weszła nam w krew.

Uraza zawarczała nagle, a potem zasyczała przez zęby w stronę czegoś za plecami zebranych. Wszyscy odwrócili się ku Lishay, która leżała nieopodal na noszach. Jej rany zostały opatrzone, ale kobieta nie odzyskała dotąd przytomności. Miała zapadnięte policzki, jej długie włosy były splątane. Obok Lishay usiadł tygrys o czarnym futrze. Pomiaukiwał i delikatnie dotykał jej twarzy łapą ze schowanymi pazurami.

Uraza ruszyła ku tygrysowi, ale Abeke uniosła rękę i lamparcica zatrzymała się natychmiast.

Rollan patrzył na intruza zupełnie zdumiony.

Czarny tygrys zamiauczał żałośnie i zaczął lizać Lishay po policzku. Kobieta odwróciła głowę i wymamrotała coś niewyraźnie, a potem wyciągnęła rękę i natrafiła palcami na kark zwierzęcia.

– Zhosur? – spytała, unosząc głowę. Otworzyła oczy i ujrzała nad sobą zwierzoducha, który był towarzyszem jej poległego brata. – Zhamin? – zdziwiła się.

Tygrys zamruczał i pochylił łeb, a wtedy Lishay załkała i objęła zwierzę ramionami. A potem Zhamin zniknął w błysku światła.

Lishay powoli podwinęła prawy rękaw, potem lewy i popatrzyła na tatuaże widoczne na obu przedramionach. Rysunek na lewym ramieniu, przedstawiający białego tygrysa, był wyblakły, jakby wytatuował go duch. Drugi tatuaż – tygrys czarny jak bezgwiezdna noc – był całkiem nowy.

– Nigdy w życiu nie widziałam niczego podobnego – powiedziała Xue.